Le Club des Cinq
en vacances

Enid Blyton™

Le Club des Cinq
en vacances

Illustrations
Frédéric Rébéna

hachette
JEUNESSE

Claude

11 ans.
Leur cousine. Avec son fidèle chien
Dagobert, elle est de toutes
les aventures.
En vrai garçon manqué,
elle est imbattable dans tous
les sports et elle ne pleure
jamais… ou presque !

François

12 ans
L'aîné des enfants,
le plus raisonnable aussi.
Grâce à son redoutable sens
de l'orientation, il peut explorer
n'importe quel souterrain sans jamais se perdre !

Mick

11 ans comme Claude.
C'est un casse-cou (un gourmand aussi !)
qui n'hésite jamais avant de se lancer
dans les plus périlleuses aventures...

Annie

10 ans
La plus jeune, un peu gaffeuse,
un peu froussarde !
Mais elle finit toujours par
participer aux enquêtes,
même quand il faut affronter
de dangereux malfaiteurs...

Dagobert

Sans lui, le Club des Cinq ne serait rien !
C'est un compagnon hors pair, qui peut monter
la garde et effrayer les bandits.
Mais surtout c'est le plus attachant des chiens...

L'ÉDITION ORIGINALE DE CET OUVRAGE
A PARU EN LANGUE ANGLAISE
CHEZ HODDER & STOUGHTON, LONDRES,
SOUS LE TITRE :

FIVE GO TO SMUGGLER'S TOP

© Enid Blyton Ltd.

© Hachette Livre, 1956, 1989, 1991, 2001, 2006
pour la présente édition.

Traduction revue par Anne-Laure Estèves.

Tous droits de traduction, de reproduction
et d'adaptation réservés pour tous pays.

Hachette Livre, 58, rue Jean Bleuzen, 92178 Vanves cedex.

chapitre 1

Retour à Kernach

C'est le premier jour des vacances de Pâques et le temps est radieux. Dans le train qui roule vers Kernach, quatre enfants et un chien regardent défiler le paysage.

— Plus que cinq minutes, et on sera arrivés, annonce François, l'aîné de la bande, un énergique garçon de treize ans au visage décidé.

— Ouah ! fait Dagobert, plein d'enthousiasme.

— Tiens-toi tranquille, proteste François. Tu t'es mis juste devant Annie !

Annie est la sœur cadette de François. Elle pousse le chien sans ménagement et colle sa joue à la fenêtre.

— Ça y est, on entre en gare ! s'écrie-t-elle. Pourvu que tante Cécile soit sur le quai !

7

— Bien sûr qu'elle y sera ! répond sa cousine Claude.

Avec ses cheveux courts et son regard déterminé, Claude ressemble beaucoup plus à un garçon qu'à une fille. Elle bouscule Annie et, à son tour, se plaque contre la fenêtre du compartiment.

— Je suis tellement contente de rentrer à la maison ! reprend-elle. La pension, ça va, mais ce n'est rien comparé à la *Villa des Mouettes* ! Et puis, on pourra peut-être aller faire un tour jusqu'à notre île et explorer de nouveau le vieux château. Ça fait des mois qu'on n'y est pas allés !

— Mick ! Comment est-ce que tu peux rester aussi calme ? s'exclame François en se tournant vers son jeune frère. On arrive à Kernach, et tu es encore plongé dans ton bouquin !

— L'histoire est palpitante, explique le jeune garçon C'est le meilleur roman d'aventures que j'aie jamais lu.

— Imagine celui qui pourrait être écrit sur nous, avec tout ce qui nous est arrivé ! intervient vivement Annie.

Il est vrai que le Club des Cinq, comme ils se surnomment eux-mêmes, a été mêlé plus d'une fois à des événements extraordinaires. Mais ces vacances de Pâques s'annoncent très calmes, et les enfants comptent bien en profiter pour se promener à longueur de journée sur les falaises et faire des virées à bord du petit bateau de Claude.

— Quand je pense au mal que je me suis donné en classe ce trimestre... dit François. Je ne les aurai pas volées, ces vacances !

— Je trouve même que tu as maigri... observe Claude.

Claude s'appelle en réalité Claudine, mais elle déteste tellement son prénom qu'elle fait toujours la sourde oreille si on a le malheur de l'appeler ainsi. C'est comme cela que, pour tout le monde, elle est devenue Claude.

— Ne t'inquiète pas pour moi, s'écrie François, je vais me remplumer en un rien de temps quand je serai aux *Mouettes* ! Tante Cécile va encore nous mitonner un tas de bonnes choses. J'en salive d'avance !

— Tu sais Claude, j'ai hâte de revoir ta maman, dit Annie. Elle est toujours si gentille avec nous.

— C'est vrai, mais j'espère que papa sera de bonne humeur, ajoute Claude. Maman m'a dit qu'il vient de terminer une série d'expériences et, apparemment, il en est très content.

Henri Dorsel, le père de la fillette, est un

scientifique réputé, qui consacre tout son temps à ses recherches. Il aime le calme et le silence, et peut parfois entrer dans de grandes colères si on le dérange. Les cousins de Claude ne peuvent s'empêcher de penser que celle-ci ressemble beaucoup à son père, tant elle s'emporte vite lorsque les choses ne se passent pas comme elle l'a décidé !

Tante Cécile est venue attendre les voyageurs à la gare.

Dès que le train est arrêté, les enfants se précipitent sur le quai et courent vers elle. Claude est la première à lui sauter au cou.

Pendant ce temps, Dagobert bondit autour de la jeune femme, en aboyant joyeusement. Mme Dorsel se penche pour lui caresser la tête. Alors, il se dresse brusquement sur ses pattes arrière et lui passe un grand coup de langue sur le visage.

— Tiens ! Je crois que Dago a encore grandi ! s'exclame la mère de Claude en riant. Bas les pattes, mon vieux : tu vas finir par me faire tomber !

C'est vrai que Dago est un chien imposant. Les enfants le considèrent comme leur meilleur ami, tant il est fidèle et affectueux. D'ailleurs, il participe à toutes leurs aventures. Mais des quatre enfants, c'est sans conteste sa petite maîtresse, Claude, que Dago préfère. Il n'était encore qu'un chiot quand elle l'a adopté, et, depuis, il l'accompagne au collège de Clairbois, où Annie et elle sont internes. Heureusement la directrice autorise les élèves à amener leur animal favori. Si elle avait dû être séparée de Dago, Claude n'aurait sans doute jamais accepté d'aller en pension !

La voiture de M. Dorsel est en réparation, alors tout le monde s'installe dans le car qui fait la navette entre la gare et Kernach. Une brise glaciale souffle sur la lande, et les enfants remontent frileusement le col de leur manteau pour s'abriter le visage.

— Quel froid ! murmure Annie, qui commence à claquer des dents. C'est pire qu'en hiver !

— Le vent souffle de plus en plus fort depuis hier, dit tante Cécile. Les pêcheurs disent qu'il va y avoir une tempête et ils ne sortent plus en mer.

La route longe à présent la côte où les enfants se sont baignés si souvent l'été dernier. Ils observent les bateaux de pêche sagement alignés. Mais personne n'a la moindre envie d'aller piquer une tête, et les enfants ont la chair de poule rien que d'y penser !

Ils entendent le vent hurler sur la mer.

11

D'énormes nuages traversent le ciel, tandis que les vagues se précipitent vers la grève où elles s'écrasent avec fracas.

Excité par ce tumulte, Dagobert se met à aboyer.

— Tais-toi, dit Claude en lui donnant une caresse. On est de retour à la maison maintenant, il faudra que tu sois sage comme une image si tu ne veux pas t'attirer des ennuis.

Et, se tournant vers sa mère, Claude demande :

— Est-ce que papa a toujours autant de travail ?

— Oui, mais il a décidé de se reposer un peu pendant que vous serez là. Je suis sûre qu'il sera ravi de vous accompagner en promenade et de faire du bateau avec vous s'il fait beau.

Les enfants échangent des regards un peu inquiets. Oncle Henri est loin d'être le compagnon de jeu idéal. Quand ils sont pris d'un fou rire, ce qui arrive au moins vingt fois par jour, le père de Claude dit toujours qu'il ne voit pas ce qu'il y a de drôle.

— Ça promet ! Si oncle Henri se met à nous suivre partout, on ne risque pas de s'amuser beaucoup... murmure Mick à l'oreille de François.

— Chut ! fait ce dernier, craignant que Mme Dorsel ne soit blessée par ces paroles imprudentes.

Claude se tourne vers sa mère, la mine inquiète.

— Mais, maman, dit-elle, tu ne crois pas que papa s'ennuiera avec nous ? Tu sais bien qu'il ne comprend rien à nos jeux !

Claude n'a pas l'habitude d'y aller par quatre chemins, et elle n'a jamais su dire les choses avec tact. Mme Dorsel soupire :

— Ne dis pas ça, ma chérie. Ton père se lassera probablement assez vite de vous accompagner, mais ça lui fera quand même le plus grand bien de sortir un peu de son bureau !

À cet instant, le car s'arrête devant la *Villa des Mouettes*. C'est une grande demeure ancienne, semi-paysanne, semi-bourgeoise, bâtie de granit et d'ardoise.

— On y est ! s'écrie François en sautant à terre. Dis donc, tante Cécile, le vent souffle vraiment fort ici !

— La nuit dernière, nous avons eu une vraie tempête. Ça faisait un bruit infernal ! dit Mme Dorsel. Les enfants, n'oubliez rien dans le car. Ah ! Voici votre oncle !

M. Dorsel descend les marches du perron. C'est un homme grand, au visage intelligent et

13

au regard profond sous des sourcils qui semblent toujours froncés. Il accueille les voyageurs en souriant et embrasse sa fille et sa nièce.

— Bienvenue à Kernach, les enfants ! dit-il. Annie, François, Mick : je suis content que vos parents aient dû prolonger leur séjour dans le sud. Ça nous donne l'occasion de vous recevoir ici !

Un quart d'heure plus tard, toute la famille est attablée dans la salle à manger, devant un copieux repas. Tante Cécile sait qu'un long voyage creuse toujours l'appétit des jeunes voyageurs !

Lorsque Claude – de loin la plus gourmande – est enfin rassasiée, elle s'appuie au dossier de sa chaise et soupire, regrettant de n'avoir plus assez faim pour reprendre une part du délicieux gâteau fait par sa mère. Dago, sagement assis au pied de sa chaise, regarde sa petite maîtresse. Les enfants n'ont pas le droit de lui donner à manger pendant les repas... et, pourtant, pas mal de miettes et de morceaux disparaissent comme par enchantement sous la table !

Le vent siffle toujours au-dehors. Les portes et les fenêtres gémissent, alors que les courants d'air qui glissent au ras du sol soulèvent le coin des tapis.

— Regardez, dit Annie. On dirait qu'il y a des serpents cachés là-dessous...

Dagobert, qui, depuis un moment, observe le phénomène, s'est mis à grogner. Il a beau être intelligent, il ne comprend pas ce qui se passe.

— J'espère que ce vent va se calmer, s'inquiète tante Cécile. La nuit dernière, je n'ai pas pu fermer l'œil... Mais dis-moi, François, j'ai l'impression que tu as beaucoup maigri. Il ne va pas falloir que je lésine sur les tartes et les gâteaux pendant les vacances !

À ces mots, les enfants éclatent de rire, ravis.

— J'étais sûre que tu dirais ça, maman ! s'écrie Claude. Oh ! Qu'est-ce qu'il y a ?

Tout le monde a sursauté.

On tend l'oreille : Dago s'est dressé brusquement et grogne, le poil hérissé. Quelque chose heurte le toit de la maison avec un bruit sourd, puis rebondit. Et le silence revient.

— C'est le vent qui vient d'emporter une tuile, déclare M. Dorsel. Dès que cette tempête se sera calmée, il faudra que nous fassions vérifier la toiture de la maison, si nous ne voulons pas que la pluie inonde le grenier.

Les enfants espèrent que leur oncle va se retirer dans son bureau après le dîner, comme il le fait d'habitude. Ils veulent jouer aux cartes et ne tiennent pas du tout à ce que M. Dorsel

15

se mêle à la partie. Mais le père de Claude n'a de toute évidence aucune intention de s'isoler. Et, se tournant vers François et Mick, il leur demande :

— Est-ce que par hasard vous connaîtriez un certain Pierre Lenoir ? Je crois qu'il est interne dans le même collège que vous.

— Pierre Lenoir ? Tu veux dire Noiraud, s'écrie Mick. Je le connais bien, il est dans ma classe !

— Noiraud ? Pourquoi est-ce que vous lui avez donné un surnom pareil ? demande l'oncle Henri.

— Si tu le voyais, tu comprendrais ! dit Mick en riant. Il a les yeux noirs, les cheveux noirs, les sourcils noirs... et en plus il s'appelle Pierre Lenoir !

— Drôle de coïncidence, en effet ! convient l'oncle Henri, mais ce n'est pas une raison pour lui donner un sobriquet aussi ridicule. Enfin, voici où je voulais en venir : cela fait quelque temps que je corresponds avec son père, M. Lenoir, parce qu'il s'intéresse à mes recherches... Alors, je l'ai invité à passer quelques jours ici et je lui ai demandé d'amener son fils.

— C'est vrai ? s'exclame Mick, l'air enchanté. Ça, c'est une bonne idée ! Mais, je te préviens, il est un peu bizarre : il ne fait jamais attention à ce qu'on lui dit, il grimpe partout et il n'a pas la langue dans sa poche... Je ne suis pas sûr qu'il te plaise beaucoup.

M. Dorsel paraît très contrarié de ce qu'il vient d'apprendre. Il commence à regretter d'avoir lancé cette invitation, car il ne supporte pas qu'on trouble sa tranquillité.

— Hum ! dit-il en repliant la lettre qu'il tient à la main. J'aurais dû me renseigner avant d'inviter ce garçon. Mais il n'est peut-être pas trop tard pour l'empêcher de venir ?

— Non, papa, s'il te plaît ! s'écrie Claude, qui, d'après la description de Mick, trouve déjà le fameux Noiraud très sympathique. Ce serait vraiment dommage qu'il ne vienne pas !

— On verra, réplique M. Dorsel, fermement décidé à ne pas s'encombrer d'un invité aussi remuant.

Claude est déjà bien assez insupportable sans qu'on lui présente un garnement qui l'incitera à faire bêtise sur bêtise !

Au grand soulagement des enfants, M. Dorsel les quitte enfin pour aller lire dans son bureau. Tante Cécile jette un coup d'œil à la pendule.

— Les enfants, il est temps de monter vous coucher, dit-elle.

— Oh ! Maman, rien qu'une minute encore ! supplie Claude. C'est notre première soirée à la maison... Et puis, de toute manière, le vent souffle tellement fort qu'on ne pourra pas s'endormir ! Dis, tu ne veux pas faire une partie de cartes avec nous ? On n'en fera qu'une seule, et après, je te promets qu'on ira se coucher ! Tiens, regarde, François bâille déjà à se décrocher la mâchoire !

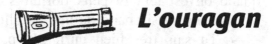

chapitre 2

L'ouragan

À la fin de la partie, les enfants grimpent joyeusement l'escalier qui mène à leurs chambres. Chacun se frotte les yeux, fatigué par le voyage.

— J'ai l'impression que ce maudit vent ne s'arrêtera jamais ! dit Annie, en entrouvrant la fenêtre. Regarde, Claude, la lune n'arrête pas d'apparaître et de disparaître derrière les nuages.

— Laisse-la faire, et viens vite te coucher ! s'écrie sa cousine. On gèle ici, et tu vas attraper un rhume si tu restes à la fenêtre !

— Tu entends le bruit des vagues ? reprend Annie sans bouger d'un pouce. Le grand hêtre n'arrête pas de bouger sous le vent. Si tu voyais les branches plier...

19

Tandis que la petite fille parle, Claude se pelotonne dans son lit.

— Allez, Dago ! Dépêche-toi de grimper sur l'édredon ! ordonne-t-elle. C'est l'avantage quand on est ici : tu peux dormir sur mon lit et me tenir aussi chaud qu'une bouillotte !

— Tu sais très bien qu'il n'a pas plus le droit de le faire ici qu'à Clairbois, intervient Annie. Tante Cécile croit qu'il dort dans son panier.

— Je ne vais quand même pas l'empêcher de venir me rejoindre pendant la nuit s'il n'a pas envie de rester sur son coussin ! C'est ça, mon chien, installe-toi à mes pieds et réchauffe-les. Bonne nuit, Annie.

— Bonsoir, répond la fillette d'une voix déjà ensommeillée. Dis donc, j'espère que ce Noiraud viendra ici quelques jours. On s'amusera bien.

— C'est sûr ! Et, de toute manière, même si M. Lenoir arrive seul, papa passera tout son temps avec lui et au moins il ne nous suivra pas en promenade.

Claude pousse un soupir.

— Papa ne s'en rend pas compte, poursuit-elle, mais quand il est là, il gâche tout.

— C'est qu'il ne sait pas s'amuser, précise Annie. Il est trop sérieux.

Soudain un bruit violent les fait sursauter.

— Ça doit être les volets de la salle de bains qui viennent de claquer, grommelle Claude. Je parie que les garçons ont oublié de les fermer. Papa va être furieux. Et allez : voilà que ça recommence !

— Laisse François et Mick se débrouiller : ils se lèveront, conseille Annie, maintenant bien au chaud dans son lit.

Cependant, comme de leur côté les deux frères comptent sur les filles pour sécuriser les battants, personne ne bouge. Et la voix irritée de l'oncle Henri retentit bientôt dans l'escalier.

— Vous allez fermer ces volets, oui ? crie-t-il. Comment voulez-vous que je travaille avec un vacarme pareil !

D'un bond, les enfants sautent de leurs lits. Mais comme ils se précipitent vers la salle de bains, Dago se mêle à leur course et ils s'étalent tous sur le parquet ciré. Les quatre amis éclatent de rire. Ils ont tout juste le temps de se relever pour fermer les volets et regagner les chambres en vitesse : M. Dorsel commence déjà à monter l'escalier.

Le vent hurle toujours. Au moment où les parents de Claude entrent dans leur chambre, la porte échappe à la main de M. Dorsel et se

21

referme avec une telle violence qu'un vase posé sur une étagère est projeté à terre.

L'oncle Henri ne peut s'empêcher de sursauter.

— C'est incroyable ! s'exclame-t-il. Je n'ai jamais vu de tempête aussi terrible depuis que nous sommes ici.

— Le vent ne va pas tarder à tomber, dit alors Mme Dorsel d'une voix apaisante. Tu verras que tout ira mieux, demain matin.

Mais la jeune femme se trompe. Bien loin de se calmer durant la nuit, l'ouragan se déchaîne de plus belle. Aux *Mouettes*, personne ne parvient à dormir. Dagobert émet un grognement sourd, car il déteste ce concert de grincements et de hurlements.

Au petit matin, la tempête redouble encore. Annie se cache sous ses couvertures, frissonnante. Tout à coup un bruit étrange se fait entendre. On entend un long gémissement suivi d'un grand craquement. Claude et Annie se dressent dans leur lit, épouvantées. Qu'est-ce qui se passe ?

Les garçons ont entendu, eux aussi. François se lève d'un bond et court à la fenêtre. Dans le jardin se découpe la silhouette massive du vieux hêtre.

22

Peu à peu, la cime de l'arbre s'incline.

— Il va s'abattre sur la maison ! hurle soudain François. Vite, il faut réveiller tout le monde !

Et, criant à pleins poumons, François sort de la chambre en trombe :

— Oncle Henri ! Tante Cécile ! Claude ! Annie ! Dépêchez-vous de descendre : le hêtre va tomber !

Claude bondit de son lit et se précipite à son tour sur le palier, Annie et Dago sur les talons. M. Dorsel vient de surgir sur le seuil de sa chambre, l'air effaré.

— Qu'est-ce qu'il y a encore ? François, tu vas me dire ce que...

— Venez tous en bas : le grand hêtre a dû être déraciné par la tempête. Vous l'entendez craquer ? s'écrie le garçon, incapable de se maîtriser. Regardez, il va écraser la maison !

Tout le monde se rue dans l'escalier à l'instant même où l'arbre, arrachant les dernières racines qui le retiennent encore à la terre, s'abat lourdement sur la toiture des *Mouettes*. On entend un fracas terrible, puis la chute des tuiles qui, glissant du toit, se brisent sur le sol.

— Oh ! murmure Mme Dorsel, en se cachant le visage dans ses mains. Je savais bien que cela finirait par arriver !

Elle se tourne vers son mari.

— Les dégâts doivent être terribles !

On entend à présent des dizaines de bruits plus légers, des chutes d'objets, des chocs sourds et des tintements de verre brisé. Dagobert a très peur et il ne tarde pas à manifester sa nervosité en aboyant à pleine voix. M. Dorsel donne sur la table un coup de poing si violent que tout le monde sursaute.

— Si cet animal ne se tait pas tout de suite, je le jette dehors ! s'écrie-t-il.

Comme rien ne semble pouvoir calmer Dagobert, Claude finit par le traîner jusque dans la cuisine, où elle l'enferme.

— Moi aussi je suis sûre que ça me soulagerait d'aboyer ! déclare Annie, compatissante. Dis, François, tu penses que l'arbre a défoncé le toit de la maison ?

M. Dorsel va chercher sa grosse lampe de poche et monte lentement l'escalier afin de se rendre compte des dégâts causés par l'accident. Quelques instants plus tard, il redescend, le visage livide.

— La toiture a cédé sous le poids du hêtre et le grenier est complètement démoli, annonce-t-il. La chambre des garçons n'a pas trop souffert mais il ne reste presque plus rien de celle

24

des filles : si Claude et Annie avaient été dans leurs lits, elles auraient pu être tuées...

Tous gardent le silence, songeant avec effroi à la catastrophe à laquelle ils ont échappé.

— Heureusement que j'ai une bonne voix ! s'écrie gaiement François, pour dissiper l'émotion générale.

Et, remarquant la pâleur de sa sœur, il lui demande :

— Annie, tu te rends compte de l'histoire palpitante que tu pourras raconter à tes copines après les vacances ?

— Je vais aller préparer du chocolat chaud, décide Mme Dorsel qui commence à peine à se remettre de sa frayeur. Ça nous fera du bien. Henri, va faire du feu dans la cheminée de ton bureau. Il doit y avoir un trou béant dans la toiture de la maison et il ne manquerait plus qu'on attrape tous un rhume !

Un quart d'heure plus tard, la famille, rassemblée autour d'une belle flambée, savoure le bon chocolat mousseux que tante Cécile vient de servir.

Annie promène autour de la pièce un regard curieux. C'est donc là, dans ce domaine interdit aux enfants, que l'oncle Henri fait ses expériences compliquées. Il y écrit des livres scientifiques qu'Annie est bien sûre de ne jamais pouvoir comprendre. Ce soir-là pourtant, l'oncle Henri se garde bien de parler de ses recherches si importantes : on dirait plutôt qu'il a un peu honte. La petite fille ne tarde pas à savoir pourquoi.

— Nous avons eu de la chance que personne ne soit blessé, déclare tante Cécile, en regardant son mari d'un œil sévère. Combien de fois est-ce que je t'ai demandé de faire couper cet arbre ? C'était évident qu'à la première tempête nous aurions un accident. J'ai toujours su qu'il finirait par tomber sur la maison.

— Je sais, je sais, répond M. Dorsel, s'appliquant à tourner sa petite cuillère dans sa tasse. J'aurais dû t'écouter, mais j'avais tellement de travail ces derniers temps...

Mme Dorsel pousse un soupir.

— Le travail... Tu donnes toujours cette excuse quand tu oublies de t'occuper des choses importantes. La prochaine fois, je m'en occuperai moi-même, sans attendre ton aide...

— Mais enfin, ce n'est pas comme si ce genre d'accident se produisait tous les jours ! s'écrie l'oncle Henri, prêt à se fâcher.

Cependant, il arrive à se maîtriser, comprenant à quel point sa femme est bouleversée. Elle est au bord des larmes. Alors, il pose sa tasse sur une table et, s'approchant de tante Cécile, passe son bras autour de ses épaules.

— Je sais que tu as eu très peur, dit-il. Mais essaie de ne plus y penser : nous sommes tous sains et saufs, c'est l'essentiel. Et quand il fera jour, j'irai examiner les lieux. Il y a peut-être moins de mal qu'il n'y paraît.

— Je crois plutôt que ce sera le contraire ! C'est une catastrophe ! Je ne sais même pas où nous allons passer le reste de la nuit, les chambres sont inhabitables ! Et puis, qu'est-ce qu'on va faire en attendant que les travaux soient terminés ? Avec les enfants qui viennent d'arriver... La maison va être encombrée d'ouvriers pendant des semaines !

— Ne t'inquiète pas, je m'occuperai de tout, déclare M. Dorsel. Je vais faire ce que je peux pour arranger les choses au mieux, tu verras !

Les enfants ont écouté la conversation en silence. C'est sûr, oncle Henri est très intelligent et il est imbattable dans le domaine scientifique ! Mais ils ne sont pas étonnés qu'il ait oublié de faire couper le grand hêtre : oncle Henri donne si souvent l'impression d'habiter sur une autre planète !

À présent, il n'est plus du tout question de remonter se coucher. Au premier étage, les chambres qui n'ont pas été complètement

27

dévastées doivent être sens dessus dessous, les lits couverts de poussière et de gravats. Tante Cécile décide donc d'étendre des duvets sur les trois canapés qui se trouvent dans le bureau, dans le salon et dans la salle à manger. Puis elle sort un lit de camp d'un placard et le déplie avec l'aide de François.

— Il va falloir qu'on se contente de ça, dit-elle. Je sais bien que le jour va bientôt se lever, mais nous avons quand même besoin de dormir un peu. Heureusement, le vent semble s'être un peu calmé.

— Trop tard, le mal est fait... observe M. Dorsel d'un ton amer. Allez, tout le monde va se coucher ! Nous discuterons de la situation demain matin.

Les enfants ont bien du mal à s'endormir après tant d'émotions. Annie surtout est inquiète : comment tante Cécile va-t-elle pouvoir loger tout le monde à la *Villa des Mouettes* après cet accident ? Que vont-ils devenir, ses frères et elle ? Leurs parents sont partis pour un long voyage...

« J'espère qu'on ne va pas nous renvoyer au pensionnat, songe Annie, se tournant et se retournant sur son canapé. Tous nos projets tomberaient à l'eau... »

De son côté, Claude éprouve les mêmes

craintes que sa cousine : elle est presque sûre qu'on va l'obliger à retourner à Clairbois. Et ce qui la chagrine encore plus, c'est d'être à nouveau séparée de ses cousins. Seul Dago ne se fait aucun souci. Couché aux pieds de sa maîtresse, il ronfle paisiblement, le cœur léger. Peu lui importe ce qu'il adviendra du moment qu'il reste auprès d'elle !

chapitre 3

Une idée de l'oncle Henri

Le lendemain matin, le vent souffle encore, mais moins fort que la veille. Les pêcheurs constatent avec soulagement que leurs barques, qu'ils avaient entreposées au sec, n'ont pas trop souffert de la tempête. Mais le bruit se répand vite qu'un accident s'est produit chez les Dorsel et de nombreux curieux s'empressent de venir voir les dégâts. C'est impressionnant, cet arbre gigantesque complètement déraciné qui semble peser de tout son poids sur la maison !

Les enfants sont fiers de pouvoir raconter à tout le monde comment ils ont échappé de justesse à la mort.

Au grand jour, les dommages provoqués par la chute du hêtre sont effrayants : sous le choc, le toit s'est effondré et tout le premier étage est dévasté. La femme de ménage, qui vient chaque jour du village voisin pour aider tante Cécile, pousse de grands cris devant le désastre.

— C'est terrible ! Il faudra des semaines pour réparer tout ça ! s'exclame-t-elle. Vous avez prévenu votre assureur ? À votre place, je l'appellerais tout de suite.

— C'est moi qui vais me charger de ça, intervient vivement M. Dorsel. Ma femme a été assez secouée par cet accident pour qu'elle n'ait pas à s'occuper des questions matérielles.

Puis, s'adressant à Mme Dorsel, il poursuit :

— Le premier problème à résoudre est celui des enfants : qu'est-ce que nous allons faire ? Nous ne pouvons pas les garder ici...

— Je ne vois pas d'autre solution que de les renvoyer à l'internat, murmure tante Cécile.

— Non, j'ai une meilleure idée, déclare l'oncle Henri, tirant une lettre de sa poche. Je viens de recevoir un mot de ce M. Lenoir. Tu sais, je t'ai déjà parlé de lui. Écoute ce qu'il me dit :

Je vous remercie chaleureusement pour votre invitation aux Mouettes. *Je serais moi-même ravi de vous recevoir, vous et vos enfants. Je ne sais pas exactement combien vous en avez, mais ils seront tous les bienvenus ici. La mai-*

son est grande et Pierre et sa sœur Mariette ne demanderont pas mieux que d'avoir des compagnons de jeux.

M. Dorsel regarde sa femme d'un air triomphant.

— C'est très gentil de sa part, s'écrie-t-il. Et ça ne pouvait pas mieux tomber : nous allons envoyer les enfants chez M. Lenoir !

— Mais... Henri... Ce n'est pas possible ! Nous ne savons rien de ce monsieur ni de sa famille !

— Bah ! Son fils est dans le même collège que Mick et François. Et puis, je sais que Lenoir est un scientifique remarquable, déclare M. Dorsel. Je vais lui téléphoner tout de suite. Voyons voir... Qu'est-ce que j'ai fait de son numéro ?

Mme Dorsel ne peut s'empêcher de sourire devant l'acharnement soudain de son mari à s'occuper de tout. Il est encore honteux d'avoir été négligent concernant le hêtre et veut maintenant démontrer à sa famille qu'il est tout à fait capable de prendre en main les affaires de la maison.

Déjà, il compose le numéro de M. Lenoir, et, au bout de quelques instants, il revient vers sa femme, l'air satisfait.

— C'est réglé ! annonce-t-il. M. Lenoir est enchanté. Il dit qu'il adore les enfants, et sa femme aussi. Si nous réussissons à trouver un taxi pour les emmener, nos quatre petits monstres peuvent partir aujourd'hui même !

— Mais tu deviens fou ? Nous ne pouvons pas nous débarrasser des enfants en les envoyant chez ces gens qu'ils ne connaissent pas. Ça ne leur plaira pas du tout, et ça ne m'étonnerait pas que Claude refuse de partir...

— Au fait, Cécile, poursuit le scientifique, qui ne semble pas avoir entendu la réponse de son épouse. J'ai oublié de te dire que Dagobert ne serait pas du voyage. M. Lenoir a horreur des chiens.

— Dans ce cas, tu peux être sûr que Claude ne partira pas d'ici ! s'exclame Mme Dorsel. Enfin, Henri, tu sais bien qu'elle ne se sépare jamais de Dago !

— Eh bien pour une fois, il faudra bien qu'elle obéisse ! réplique M. Dorsel. Tiens, voilà les enfants : je vais leur demander ce qu'ils pensent de mon idée !

La petite troupe entre dans le bureau sans entrain, craignant d'apprendre de mauvaises nouvelles.

— Vous vous souvenez de ce Pierre Lenoir,

dont je vous ai parlé hier ? commence M. Dorsel. Vous l'appelez je ne sais plus comment...

— Noiraud ! s'écrie Mick.

— C'est ça. Eh bien, son père a eu la gentillesse de tous vous inviter à le rejoindre au *Pic du Corsaire*.

Les enfants sont stupéfaits.

— Le « Pic du Corsaire » ! répète Mick, fasciné par ce nom mystérieux. Qu'est-ce que c'est ?

— L'endroit où habitent les Lenoir, répond l'oncle Henri. C'est une maison très ancienne, perchée au sommet d'une colline. Aujourd'hui, elle est entourée de marais immenses mais avant c'était une île. Elle servait de repaire aux contrebandiers et aux pirates qui faisaient leur trafic sur les côtes... D'après ce qu'on m'a dit, c'est un lieu très mystérieux.

Ces explications enthousiasment les enfants.

— Alors qu'est-ce que vous en pensez ? demande M. Dorsel. Vous êtes d'accord pour vous rendre chez M. Lenoir ou vous préférez retourner à l'internat ?

— Oh non, oncle Henri ! Pas au collège ! s'écrient les enfants d'une seule voix.

— J'ai bien envie d'aller au *Pic du Corsaire*, ajoute Mick. Ça a l'air d'être un endroit très intéressant ! Et puis, on ne risque pas de s'ennuyer avec Noiraud. Je me rappelle le jour où il a scié un des pieds de la chaise de notre professeur d'anglais. Le morceau ne tenait pratiquement plus et, quand M. Arnaud a voulu s'asseoir, tout s'est effondré !

— Hum... fait M. Dorsel, un peu inquiet d'entendre les exploits du jeune Lenoir. Je ne vois pas en quoi ça le rend sympathique... À la réflexion, il vaudrait peut-être mieux vous renvoyer tous en pension...

— Oh non ! S'il te plaît, laisse-nous aller chez M. Lenoir ! s'écrient les enfants, catastrophés.

— C'est d'accord, dit enfin M. Dorsel, assez flatté malgré tout de constater que son idée suscite tant d'enthousiasme.

— Papa, est-ce que je pourrai emmener Dagobert ? demande soudain Claude.

— Ça non. Je suis désolé mais ce n'est pas possible : M. Lenoir déteste les chiens.

— Alors, je le déteste, lui aussi ! déclare Claude, le visage sombre. Et je ne partirai pas sans Dago.

— Alors tu retourneras à Clairbois, riposte M. Dorsel d'un ton sec. Et ne prends pas cet air grognon. Tu sais que rien ne m'énerve plus que de te voir faire ta mauvaise tête.

Mais Claude n'a aucune intention de céder,

et, tournant le dos à son père, elle se dirige vers la porte, à la grande consternation de ses cousins.

« Pourvu que Claude ne gâche pas les vacances en faisant un scandale », se disent-ils.

Lorsque le petit groupe se retrouve quelques instants plus tard dans le salon, Annie veut passer son bras sous celui de sa cousine, mais Claude la repousse avec colère.

— Écoute, il faut que tu viennes chez M. Lenoir avec nous, dit Annie. Tu ne vas pas retourner toute seule à Clairbois quand même !

— Je ne serai pas seule : j'aurai Dago, répond Claude.

Les enfants ont beau insister pour la faire revenir sur sa décision, elle est inflexible.

— Laissez-moi tranquille, dit-elle. Il faut que je réfléchisse... Vous savez quelle route il faut prendre pour arriver au *Pic du Corsaire* ?

— On doit y aller en taxi, répond Mick. Une fois, Noiraud a dit qu'il habitait sur la côte, alors j'imagine qu'on suivra la corniche... Pourquoi ?

— Ça me regarde, dit-elle.

Et Claude quitte la pièce, escortée de Dagobert. Personne ne cherche à l'accompagner : ses cousins savent combien elle peut se montrer désagréable quand elle est en colère.

37

Pendant ce temps, Mme Dorsel a commencé à préparer les bagages des enfants, même s'il est pratiquement impossible de récupérer les vêtements qui étaient rangés dans leurs chambres. Une demi-heure plus tard, Claude réapparaît, l'air détendu, presque souriant. Dagobert n'est pas avec elle.

— Tiens ! Où est passé Dago ? questionne Annie.

— Il se promène, répond Claude.

François lui jette un coup d'œil surpris.

— Tu viens avec nous ? lui demande-t-il.

— Oui, je me suis décidée, déclare-t-elle, en évitant de regarder son cousin en face – ce qui intrigue beaucoup ce dernier.

Tante Cécile sert le petit déjeuner plus tôt que d'habitude. Comme le repas s'achève, on entend le taxi commandé par M. Dorsel s'arrêter devant la maison. Claude, Annie et Mick s'installent gaiement sur la banquette arrière, tandis que François grimpe à côté du chauffeur. Mme Dorsel les embrasse, son mari leur fait toutes sortes de recommandations.

— J'espère que vous ne vous ennuierez pas là-bas, dit tante Cécile. Écrivez-nous dès que vous serez arrivés et dites-nous comment vous allez.

38

— On a oublié de dire au revoir à Dago ! s'écrie soudain Annie.

Et se tournant, stupéfaite, vers sa cousine :

— Claude, tu ne vas tout de même pas t'en aller sans lui avoir donné une dernière caresse !

— Trop tard, les enfants, il est temps de partir ! fait vivement M. Dorsel, qui redoute de voir sa fille créer de nouvelles difficultés. La voiture démarre aussitôt, tandis que les quatre passagers lancent de joyeux signes d'adieu. Mais l'instant d'après, comme ils regardent par la vitre arrière, leurs cœurs se serrent au spectacle de leur chère maison à demi écrasée sous le poids du grand hêtre. Cette tristesse se dissipe bien vite, à la pensée des merveilleuses vacances qu'ils vont passer chez leur ami Noiraud. Finies les angoisses, oubliée la crainte de retourner en pension : ils sont en route pour *Le Pic du Corsaire* !

— Quel nom excitant ! s'écrie Annie. Je m'y vois déjà : une vieille maison perchée au sommet d'une colline. Et quand je pense qu'avant, c'était une île... Je me demande pourquoi la mer s'est retirée en laissant tous ces marécages !

Claude se tait. Ses compagnons, qui, de temps à autre, l'observent en coin, en concluent qu'elle pense au malheureux Dago. Pourtant aucune mélancolie ne se lit sur son visage.

La voiture gravit une côte, puis s'engage à vive allure dans la descente qui lui succède. Au bas de la pente, Claude se penche vers le chauffeur et dit en lui touchant légèrement le bras :

— Vous voulez bien vous arrêter un instant, s'il vous plaît ? On a quelqu'un à prendre ici.

Annie, Mick et François regardent leur cousine avec étonnement, tandis que le conducteur freine, lui aussi très surpris. Claude ouvre la portière, place ses deux index entre ses lèvres, et se met à siffler très fort. Un bolide jaillit alors de la haie qui borde la route et bondit dans la voiture. C'est Dagobert ! Il bouscule tout le monde et lèche les mains de ses amis, leur écrase les pieds et s'agite dans tous les sens, en lâchant des petits jappements pour exprimer sa joie.

— Mademoiselle, dit enfin le chauffeur du taxi en s'adressant à Claude d'un ton hésitant. Je ne sais pas si on peut emmener ce chien. Votre père ne m'en a pas parlé...

— Ne vous inquiétez pas, répond Claude, le visage rose de plaisir. Tout est parfaitement sous contrôle. Vous pouvez repartir maintenant.

— Tu es terrible, Claude ! dit François, à la fois contrarié par la désobéissance de sa cousine et ravi que Dago soit finalement du voyage. Mais tu sais, j'ai bien peur que

M. Lenoir ne nous oblige à renvoyer Dago chez tes parents.

— Dans ce cas, il faudra qu'il me renvoie moi aussi ! lance Claude sur un ton de défi. L'essentiel pour l'instant, c'est que Dago vienne avec nous !

— Je suis tout à fait d'accord avec toi, renchérit Annie. Dago me manquait autant qu'à toi !

— Et maintenant, en route pour *Le Pic du Corsaire* ! s'écrie Mick. Et qui sait ? Là-bas, il nous arrivera peut-être des aventures...

chapitre 4

Le Pic
du Corsaire

Le taxi roule à vive allure. La route longe
la mer, ne s'éloignant de celle-ci que pour faire
quelques brèves incursions à l'intérieur des
terres. Cette longue course enchante les enfants.

— Alors comme ça, demande le chauffeur à
ses passagers, vous êtes en route pour le Rocher
Maudit ?

— Comment ça ? fait Mick, surpris. C'est le
nom qu'on donne au *Pic du Corsaire ?*

— Parfaitement.

— Mais pourquoi ? questionne Annie. C'est
quand même bizarre...

— Pas du tout. On raconte qu'autrefois ce
pic était une sorte de presqu'île, rattachée à la
terre ferme. Seulement, comme les gens qui y
vivaient étaient tous plus méchants les uns que

43

les autres, les anges du paradis en ont eu assez un jour. Pour punir les habitants de la presqu'île, ils lui ont jeté une malédiction et, l'arrachant à la côte, ils l'ont lancée bien loin dans la mer où elle est devenue une île...

— Que l'on a appelée « le Rocher Maudit » ! termine Mick. Mais vous ne croyez pas que, depuis, les anges ont dû pardonner ? On nous a dit que, maintenant, la mer s'était retirée et qu'on pouvait aller à pied sec de l'île à la côte...

— C'est vrai, reconnaît le chauffeur. Il existe une route tout à fait praticable, mais à condition d'être prudent... Surtout, si vous la prenez, ne vous en écartez pas : vous auriez vite fait de vous enliser dans le marais !

— Quel endroit extraordinaire ! s'écrie Claude.

Pendant que le chauffeur racontait l'histoire du Rocher Maudit, Dagobert, bousculant ses compagnons, s'est installé sur les genoux de Claude, au grand désespoir de celle-ci, qui trouve son chien bien trop lourd pour ce genre de fantaisies !

Le taxi poursuit sa route, et Annie ne tarde pas à s'assoupir, bercée par le ronronnement du moteur, tandis que les autres luttent de leur mieux contre l'envie de dormir. Il se met à

44

pleuvoir, et, sous le ciel assombri, le paysage semble tout à coup très triste. Au bout de quelque temps, le chauffeur se tourne vers François.

— Nous ne sommes plus très loin du Rocher Maudit, annonce-t-il.

François se dépêche de réveiller Annie, et tout le monde se tient en alerte, pour ne rien manquer du spectacle qui va s'offrir à leurs yeux. Mais une grande déception les attend. Le marais est couvert d'une brume tellement épaisse que les enfants ont beau écarquiller les yeux, ils ne peuvent rien distinguer d'autre que la route sur laquelle la voiture progresse. Elle forme une sorte de levée de terre qui émerge à peine du marécage. De temps à autre, le brouillard se dissipe légèrement et les enfants entrevoient, l'espace de quelques secondes, l'immense plaine basse qui s'étend tout autour, grise et lugubre.

— Vous pouvez vous arrêter ici un instant ? demande François au chauffeur. Je voudrais bien regarder ce fameux marais d'un peu plus près.

— D'accord, mais n'oubliez pas que le compteur tourne... répond l'homme. Et je vous avertis, ne quittez pas la route, et surtout, tenez

45

bien votre chien : s'il tombe dans le marais, vous ne le reverrez jamais.

— Qu'est-ce que vous voulez dire ? fait Annie, en ouvrant de grands yeux.

— Oh ! C'est bien simple, explique François. Ça signifie que Dago s'enliserait dans la vase... Claude, enferme-le dans la voiture !

Dagobert a beau protester, il doit rester dans le taxi, en compagnie du chauffeur. Comme il gratte la portière pour essayer de l'ouvrir, l'homme se retourne vers lui.

— Ne t'inquiète pas, mon vieux, dit-il. Tes amis n'en ont pas pour longtemps !

Mais Dago, bien loin de se calmer, commence à pousser de longs gémissements. Il voit les enfants s'approcher du bord de la route, se pencher...

De grosses dalles, en contrebas, forment une sorte de corniche qui court tout le long de la chaussée. François descend avec précaution et se dresse sur les pierres. Puis il examine attentivement le marais.

— C'est seulement de la vase, déclare-t-il. Regardez comme c'est liquide ! La surface se met à bouger dès que je la touche du bout du pied. Si quelqu'un tombe là-dedans, il disparaîtra en un clin d'œil...

Ces paroles effrayent Annie.

— François, tu pourrais tomber ! s'écrie-t-elle. Remonte !

Quand François est revenu sur la route, les enfants regardent encore un moment le marais en silence mais ils ne peuvent s'empêcher de ressentir une sorte de malaise. L'air est imprégné d'une humidité glacée et l'atmosphère est sinistre. Dans le taxi, Dagobert s'est mis à aboyer furieusement.

— Si on ne rentre pas tout de suite, Dago va tout démolir à l'intérieur de la voiture ! dit Claude.

Ils rebroussent chemin. Aussitôt dans le taxi, François demande au chauffeur s'il sait combien de personnes se sont enlisées dans ces affreux marais.

— On a perdu le compte depuis bien longtemps, déclare celui-ci. Il paraît qu'il existe un ou deux passages sûrs pour traverser sans danger. C'est ceux que les gens utilisaient avant qu'on ne construise la route. Mais il faut bien s'y connaître... Il suffit de se tromper de cinquante centimètres à droite ou à gauche pour se retrouver dans la vase jusqu'au cou.

— Quelle horreur ! s'exclame Annie. Ne parlons plus de tout ça, s'il vous plaît... Est-ce qu'on est encore loin du Rocher Maudit ?

— Regardez, on commence à l'apercevoir

47

dans la brume. Vous voyez le sommet qui se découvre peu à peu ?

Les enfants se taisent. Là-bas, devant eux, une haute colline émerge lentement du brouillard. C'est une sorte de pic rocheux entouré de falaises. Il semble posé sur les nuages, comme détaché de la terre. Le Rocher Maudit est couvert de maisons anciennes qui, même à cette distance, forment un tableau très pittoresque.

— Je parie que c'est *Le Pic du Corsaire* qu'on voit au sommet, s'écrie François, en tendant le doigt. On dirait un vieux château fort... Il date sûrement de plusieurs siècles ! Regardez la tour ! Quand il fait beau, on doit avoir une vue splendide de là-haut.

Les enfants ne peuvent détacher leurs yeux de l'impressionnante bâtisse. Mais même si celle-ci a beaucoup de charme, ils ne peuvent s'empêcher de lui trouver quelque chose d'inquiétant.

Le chauffeur a repris la route, mais roule lentement, car la brume s'épaissit de plus en plus. Heureusement, des balises phosphorescentes placées le long de la route scintillent lorsque la lumière des phares du taxi vient les frapper. On approche du rocher, et bientôt la route commence à s'élever en direction du sommet.

— Tout à l'heure, on passera sous une grande porte, annonce le chauffeur. Autrefois, c'était l'entrée de la place forte. Les vieux remparts sont encore intacts et on peut se promener sur le chemin de ronde qui fait tout le tour de la ville.

En entendant ces mots, les enfants décident aussitôt d'inscrire cette distraction au programme de leurs vacances. S'il fait beau, l'excursion sera magnifique !

La pente devient de plus en plus raide. Soudain, une haute porte entourée de deux tours surgit de la brume. Quand ils la franchissent, les enfants n'ont que le temps de distinguer deux volets gigantesques, rabattus contre les murs. Le voyage touche à son but : on est arrivé au Rocher Maudit.

— C'est génial : on a l'impression d'être ramené je ne sais combien de siècles en arrière ! s'exclame François, en découvrant avec surprise les ruelles pavées, les vieilles maisons aux portes massives et les boutiques aux fenêtres garnies de petits carreaux en losange.

Le chauffeur prend la rue principale, étroite et tortueuse, pour s'arrêter enfin devant une entrée défendue par une grille de fer forgé. Il lance un coup de klaxon et une employée vient ouvrir. Le taxi s'engage alors dans une allée

49

qui, par une pente assez inclinée, mène à la maison.

Quand la voiture s'arrête, les enfants descendent, presque à regret : ils se sentent paralysés à la vue de cette vieille demeure qui porte un nom si étrange. *Le Pic du Corsaire...* C'est une énorme construction de briques, aux poutres apparentes, massive et sévère. La porte d'entrée ressemble à celle d'une forteresse. L'aile nord des bâtiments se prolonge par une tour unique, qui fait penser à un donjon au toit pointu.

— *Le Pic du Corsaire...* Voilà une maison qui porte bien son nom, déclare François. J'imagine que ce devait être le refuge idéal pour les pirates et les contrebandiers il y a longtemps...

Pendant que François se perd dans ses réflexions, Mick a déjà gravi les marches du perron. Il remarque rapidement une poignée de fer qui sort de la muraille et tire dessus. Aussitôt, le tintement d'une cloche se fait entendre à l'intérieur de l'habitation. On entend un bruit de pas précipités et la porte s'ouvre, avec une extrême lenteur.

Deux enfants apparaissent, une fille à peu près de la même taille qu'Annie et un garçon qui semble avoir l'âge de Mick.

— Vous voilà enfin ! s'écrient-ils en chœur. On finissait par croire que vous n'arriveriez jamais.

Mick se tourne vers Claude et Annie et, leur désignant le garçon :

— Je vous présente Noiraud, dit-il.

Dévisageant leur hôte, les deux cousines doivent bien admettre que son surnom lui convient à merveille : yeux, sourcils, cheveux, tout est noir, jusqu'à son teint hâlé.

La petite fille qui se tient à côté de lui est tout son contraire. Avec sa peau pâle, son regard clair, ses boucles d'or et ses sourcils d'un blond léger qu'on distingue à peine, elle a l'air doux et timide.

— Et voici ma sœur Mariette, dit Noiraud à son tour. Je sais ce que vous êtes en train de penser : ma sœur et moi, on dirait la Belle et la Bête !

Noiraud paraît si sympathique avec ses yeux vifs et son sourire espiègle qu'il plaît tout de suite aux arrivants. Claude en est la première surprise, car elle n'a pas l'habitude de se sentir aussi à l'aise avec les gens qu'elle ne connaît pas. Mais comment résister à Noiraud, après avoir croisé son regard pétillant de malice ?

— Entrez vite ! dit le garçon à ses amis.

Puis, s'adressant au chauffeur du taxi :

51

— Je vais appeler Simon pour qu'il vous aide à décharger les bagages.

Comme Noiraud achève de prononcer ces mots, sa figure s'assombrit brusquement.

— Je rêve ! murmure-t-il. Vous avez amené votre chien...

— Parfaitement ! dit Claude.

Et, posant la main sur la tête de Dago comme pour le protéger, elle explique :

— Il est à moi et, comme il me suit partout, je ne pouvais pas le laisser à la maison !

— Je comprends... Mais il y a un problème : aucun chien n'a le droit d'entrer ici.

Noiraud semble inquiet et, tout en parlant, il jette de rapides coups d'œil derrière lui, comme s'il craignait qu'on ne découvre la présence de Dago.

— Mon père déteste les chiens, reprend-il. Il ne supporte pas d'en voir autour de lui. Un jour, j'en ai ramené un à la maison, et ça a été un drame...

À ces mots, Claude prend son air obstiné et boudeur des mauvais jours.

— Je me suis dit qu'on pourrait peut-être cacher Dago quelque part, balbutie-t-elle. Mais après ce que je viens d'entendre, il ne me reste plus qu'à rentrer à Kernach... Au revoir !

Et, plantant là ses amis, Claude tourne les

talons pour s'en aller rejoindre le chauffeur du taxi qui s'apprête à repartir. Noiraud la regarde, bouche bée, mais revenant bientôt de sa surprise, il se précipite derrière elle et lui lance :

— Ne sois pas stupide ! Allez, reste ici : on va bien finir par trouver une solution !

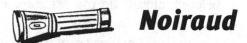

chapitre 5

Noiraud

D'un bond le garçon franchit les marches du perron et se précipite à la poursuite de Claude. Annie, Mick et François lui emboîtent le pas en un clin d'œil, tandis que Mariette prend soin de refermer d'abord la porte de la maison derrière elle.

Noiraud rejoint la fugitive au moment où elle arrive à la hauteur d'une petite porte à demi dissimulée sous le lierre qui tapisse les murs de la maison. Empoignant Claude par le bras, il écarte le battant et, sans ménagements, pousse sa prisonnière en direction de l'ouverture. Les autres enfants les suivent.

— Espèce de brute ! s'exclame Claude, indignée. Si tu recommences à me bousculer comme ça, Dago va te sauter dessus !

— Ne t'inquiète pas : il ne me mordra pas, fait Noiraud avec un sourire. Les chiens m'aiment toujours, et le tien ne fera pas exception à la règle. Même si je te tirais les oreilles, il se contenterait de me regarder en remuant la queue !

La petite entrée franchie, les enfants se retrouvent dans un long couloir obscur, qui aboutit à une porte fermée.

— Attendez-moi un instant, dit Noiraud, je vais vérifier que la voie est libre... Papa est à la maison, et si jamais il aperçoit votre chien, il vous remettra dans votre taxi, direction Kernach ! Moi, franchement, je n'ai aucune envie de vous voir partir si vite ! J'étais trop content à l'idée de passer les vacances avec vous...

La joie qui se lit dans ses yeux achève de réchauffer le cœur des enfants. Claude elle-même sent fondre sa colère. Elle serre Dagobert contre elle. Mais, en même temps, chacun éprouve une grande crainte à la pensée de rencontrer M. Lenoir. Ce doit être un homme terrible !

À pas de loup, Noiraud s'approche de la porte du couloir. Il l'ouvre avec précaution, et jette un coup d'œil dans la pièce qui se trouve de l'autre côté. Puis il revient vers ses amis.

— Tout va bien, annonce-t-il à mi-voix. On va pouvoir emprunter le passage secret qui monte à ma chambre. Comme ça, personne ne nous verra entrer et, une fois là-haut, on pourra tranquillement mettre au point un plan. En route !

« Un passage secret ! Quelle aventure ! » se disent les enfants, en suivant leur guide, le cœur battant.

En silence, ils pénètrent dans la pièce où aboutit le couloir. Elle est sombre et austère avec ses murs lambrissés de chêne. C'est sans doute une bibliothèque ou un bureau, car il y a une grande table et une quantité impressionnante d'étagères surchargées de livres. Mais, heureusement, il n'y a personne.

— C'est le bureau de mon père, explique Noiraud.

Sans hésiter, il se dirige vers l'une des boiseries. Ses doigts se promènent doucement sur une moulure et il appuie très fort sur l'un des motifs en relief. Le panneau de chêne coulisse sans bruit. Alors, le jeune garçon plonge la main dans le trou et empoigne quelque chose... Au même instant, tout un pan du lambris pivote lentement et laisse apparaître une ouverture suffisamment grande pour que les enfants puissent s'y introduire sans peine.

— Venez, dit Noiraud dans un souffle. Et surtout, pas de bruit !

Ravis, bien qu'assez inquiets, les amis se faufilent l'un après l'autre. Noiraud passe le dernier, et tandis qu'il procède à une manœuvre mystérieuse, on entend les lambris reprendre doucement leur place. Alors, il allume une petite lampe de poche car il fait maintenant complètement noir.

Les enfants regardent autour d'eux, éberlués. Ils se trouvent à l'extrémité d'une sorte de couloir taillé dans l'épaisseur d'une muraille. Le passage est tellement étroit qu'il est impossible que deux personnes y déambulent côte à côte.

— Tiens, prends ça, murmure Noiraud, faisant passer sa lampe à François qui est en tête de file. Avance droit devant toi jusqu'à l'escalier. En haut des marches, tu tournes à gauche. Après, tu continues et quand tu te trouves dans une espèce d'impasse, avec un mur devant toi, je te dirai quoi faire.

François se met en route. Il tient la lampe levée bien haut, afin de mieux guider ses compagnons. Le passage est non seulement très étroit mais aussi tellement bas de plafond que seules Annie et Mariette peuvent avancer sans courber la tête.

Annie ne se sent pas très à l'aise, car elle a toujours eu horreur des espaces fermés. Elle se rappelle avec effroi certains cauchemars où il lui semblait étouffer, emprisonnée dans un placard minuscule. Aussi, c'est avec un vrai soulagement qu'elle entend François annoncer :

— Voici l'escalier. Attention à la montée !

— Chut ! souffle Noiraud. Ce n'est pas le moment de faire du bruit : on passe le long de la salle à manger qui communique aussi avec le couloir où on se trouve.

En silence, les enfants poursuivent leur chemin. Ils s'efforcent de marcher sur la pointe des pieds.

Ils gravissent quatorze marches d'un escalier raide comme une échelle et qui tourne brusquement sur lui-même à mi-hauteur. En atteignant le sommet, François suit à la lettre les indications dc Noiraud et s'engage dans un nouveau passage, aussi étroit que le premier. Au bout de quelques minutes, le jeune garçon s'arrête brusquement : juste à temps pour ne pas buter contre un mur de pierre nue qui lui barre le chemin. Surpris, il promène le faisceau de sa lampe du haut en bas de l'obstacle. Derrière lui, Noiraud dit à voix basse :

— Ça y est, on est au bout du passage. Éclaire le plafond, tu verras une poignée de fer

59

en haut du mur. Pousse-la aussi fort que tu peux...

François obéit. Il a à peine accompli la manœuvre qu'à sa grande surprise, un énorme bloc de pierre qui se trouvait au milieu du mur bascule lentement vers lui, dévoilant une large ouverture. François s'empresse de promener la lumière de sa lampe à l'intérieur de la cavité : elle est vide !

— Ne t'inquiète pas, murmure Noiraud. Cette trappe s'ouvre au fond du placard de ma chambre. Faufile-toi par le trou. On te suit !

Après s'être glissé par l'ouverture, François se trouve dans une grande penderie remplie de vêtements. À tâtons, il les écarte pour se frayer un chemin et repérer la porte. Très vite, il l'ouvre et, d'un seul coup, la lumière du jour pénètre brutale dans le placard, envahissant jusqu'à l'entrée du passage secret.

L'un après l'autre, les enfants suivent François, puis c'est le tour de Dago, qui avance silencieux, les oreilles basses. Il n'a pas du tout apprécié de se promener dans l'obscurité et il est soulagé d'en finir avec cette épreuve.

Fermant la marche, Noiraud remet la grosse pierre en place avec beaucoup de soin. Le mécanisme semble fonctionner parfaitement.

Quand Noiraud rejoint ses compagnons, il

remarque que Claude tient fermement son chien par le collier.

— Rien à craindre, ici, dit-il en souriant. Ma chambre et celle de Mariette sont complètement isolées du reste de la maison. On est tout seuls dans cette aile, à laquelle on ne peut accéder que par un couloir interminable.

Il ouvre la porte pour confirmer ce qu'il vient d'expliquer. Les enfants voient alors une sorte de palier sur lequel donne une seconde pièce, la chambre de Mariette. De là part un long couloir aux murs nus, au sol dallé, sur lequel on a jeté quelques tapis usés. Il est éclairé par une large baie qui s'ouvre non loin de la vieille porte en chêne qui ferme le passage.

— Vous voyez, on est tranquilles ici, reprend Noiraud. Dagobert peut aboyer autant qu'il veut, personne ne s'en apercevra dans la maison.

— Mais vos parents ne viennent jamais dans vos chambre ? demande Annie, surprise. Qui range vos affaires ?

— C'est Renée, la cuisinière, mais elle fait aussi un peu de ménage. Elle monte ici tous les matins. C'est la seule à venir ici. Et d'ailleurs, si quelqu'un arrivait, je le saurais tout de suite.

Les Cinq regardent le garçon avec stupéfaction.

— Comment ça ? questionne Mick.

— J'ai inventé une espèce d'avertisseur qui résonne ici, dans ma chambre, dès que quelqu'un touche à la grande porte en bois, explique Noiraud, fièrement. Restez ici, je vais vous montrer.

Il court entrouvrir la porte qui se trouve à l'extrémité opposée du couloir. Aussitôt, une sonnerie sourde retentit dans un coin de la chambre. Tout le monde sursaute, tandis que Dago, surpris, dresse les oreilles et gronde furieusement.

— Vous avez entendu ? s'écrie Noiraud, qui revient au galop. C'est une bonne idée, pas vrai ? J'en ai des tonnes comme ça !

Les enfants ne peuvent s'empêcher de penser que *Le Pic du Corsaire* est une demeure bien mystérieuse. En promenant leur regard autour de la chambre, ils n'y découvrent pourtant qu'un mobilier très simple et un désordre tout aussi banal.

La pièce est éclairée par une grande fenêtre à plusieurs volets garnis de petits carreaux. Annie s'en approche. Mais après un bref coup d'œil au-dehors, elle se recule vivement et pousse un cri. Elle a l'impression de se tenir au bord d'un précipice ! *Le Pic du Corsaire* est en effet bâti au point le plus élevé de la colline, et la fenêtre de Noiraud donne justement sur la falaise. De sa fenêtre, le regard plonge à pic sur les marais, cent mètres plus bas !

— Regardez ! s'écrie la fillette. C'est effrayant tout ce vide !

À leur tour, les autres s'approchent. Annie a raison : le spectacle est impressionnant.

Le soleil éclaire maintenant le sommet et le flanc de la colline ; aussi loin que porte la vue, on n'aperçoit qu'une mer de brouillard.

— Quand la brume se dissipe, on peut voir très loin, dit Noiraud. C'est magnifique. Là-bas, il y a les limites du marais, mais on les distingue à peine même les jours où la mer est très bleue... Vous savez qu'à une époque cette colline était une île ?

— Oui, le chauffeur du taxi nous l'a raconté, répond Claude. Mais comment ça se fait que la mer se soit retirée comme ça ?

— Je ne sais pas. Certaines personnes disent qu'aujourd'hui encore, elle continue à s'éloigner. On parle même d'assécher les marécages pour en faire des terres cultivables. Je me demande si ça se fera un jour...

— Moi, je n'aime pas ce marais, dit Annie en frissonnant. Rien que de le regarder, il me donne la chair de poule !

À cet instant, Dagobert se met à gémir et Claude songe qu'il est grand temps de lui trouver une cachette. Elle se tourne vers Noiraud.

— Tu sais où on pourrait cacher Dago ? demande-t-elle. Et puis, il faudra le nourrir, et aller le promener aussi. C'est un gros chien, on ne peut pas le laisser enfermé du matin au soir.

— Ne t'en fais pas, tout ira très bien, déclare Noiraud. J'adore les animaux et je suis très content que Dago soit ici. Mais, je te préviens que, si papa le découvre, il se mettra sûrement dans une colère noire.

— Mais enfin, pourquoi est-ce que ton père déteste autant les chiens ? demande Annie, intriguée. Il en a peur ?

— Non, je ne crois pas. Mais, il refuse catégoriquement d'en avoir dans la maison. Il a sans doute ses raisons. Au fond, mon père est assez bizarre !

— Qu'est-ce que tu veux dire ? questionne Mick à son tour.

— Je ne sais pas... Il a toujours l'air d'avoir plein de secrets, répond Noiraud. Et puis, plusieurs soirs, j'ai vu des lumières briller au sommet de notre tour. On aurait dit des signaux... J'ai essayé de découvrir qui les allumait mais je n'ai rien trouvé pour l'instant.

— Tu crois que ton père aurait des activités suspectes, comme de la contrebande ? demande Annie vivement.

— Ça m'étonnerait : il y a déjà un contrebandier au Rocher Maudit et tout le monde le connaît ! Tu vois cette maison, vers la droite, en bas de la colline ? C'est là qu'il habite. Il s'appelle M. Vadec et il roule sur l'or. La police est au courant de son trafic mais ce type a tellement d'influence qu'elle n'a jamais pu l'arrêter. Alors il fait ce qu'il veut. Mais il dit que personne n'a le droit de l'imiter. Tant qu'il sera ici, on ne verra pas d'autre contrebandier dans le coin !

— Quelle histoire ! s'exclame François. J'ai comme l'impression que les aventures ne manquent pas ici !

— Tu te trompes, répond Noiraud. Il ne se passe jamais rien, au contraire, et pourtant, la colline est pleine de passages secrets : il y en a un nombre incalculable dans le rocher. C'est par là que les pirates et les contrebandiers passaient autrefois.

— Alors... commence François, mais il s'interrompt. Tous les regards se tournent vers Noiraud.

La sonnerie de l'avertisseur vient de retentir : quelqu'un a ouvert la porte du couloir !

chapitre 6

La famille Lenoir

— Quelqu'un vient ! s'écrie Claude, affolée. Vite, il faut cacher Dago !

Noiraud prend le chien par le collier et le pousse dans le placard dont il referme la porte.

— Sois sage ! ordonne-t-il.

Et, docilement, Dago s'assied dans le réduit obscur, où il reste silencieux, tandis que son poil se hérisse lentement sur son dos.

— Et maintenant, lance Noiraud à ses amis d'une voix claironnante, je vais vous montrer vos chambres !

À ce moment, la porte s'ouvre et un homme apparaît. Il porte un pantalon noir et une veste blanche. Son apparence est pour le moins déplaisante.

« Quel visage fermé ! se dit Annie en l'ob-

67

servant. Impossible de savoir ce que cet homme pense, on dirait presque qu'il porte un masque... »

— Tiens, bonjour, Simon, fait Noiraud avec insouciance.

Et, se tournant vers ses compagnons :

— Je vous présente Simon, l'homme de confiance de papa, et le majordome de cette maison. Comme il est sourd, vous pouvez dire ce que vous voulez devant lui ; mais, je ne vous le conseille pas, parce qu'en réalité, j'ai l'impression qu'il comprend tout.

Comme il achève ces mots, Simon prend brusquement la parole pour s'adresser à Noiraud :

— Vos parents désirent savoir pourquoi vous n'avez pas conduit vos amis auprès d'eux. Pourquoi êtes-vous monté directement dans votre chambre ?

Tout en parlant, l'homme promène autour de lui un regard soupçonneux.

« Quelle horreur, songe Claude avec angoisse, on dirait presque qu'il a deviné que Dago est là et qu'il cherche à savoir où il se cache ! Peut-être que le chauffeur de taxi lui a tout dit ! »

Noiraud ne perd pas son sang-froid.

— En fait, explique-t-il, j'étais tellement

content de voir arriver mes amis que je les ai immédiatement amenés ici pour bavarder avec eux ! Merci, Simon. On descend tout de suite !

L'homme sort, le visage insondable.

— Ce type ne me plaît pas du tout ! s'écrie Annie avec fougue. Il est ici depuis longtemps ?

— Non, un an environ, répond Noiraud. Il est arrivé un beau matin, sans dire un mot. Cinq minutes plus tard, il avait déjà mis sa veste blanche et il prenait ses fonctions de major-dome. Papa l'attendait certainement, mais maman n'était au courant de rien, j'en suis sûr. Elle n'en revenait pas ! Bon, ce n'est pas le moment de faire des discours : il faut qu'on se dépêche de descendre !

Et Noiraud se dirige vers la porte, mais au moment de sortir, il se retourne vers ses amis.

— À propos, j'aime mieux vous prévenir que papa a généralement l'air très gentil. Il sourit, il aime s'amuser et raconter des histoires. Mais il ne faut pas s'y fier, parce qu'il se fâche très facilement...

— J'espère qu'on ne le verra pas trop souvent alors, murmure Annie, tout juste rassurée. Et ta maman, Noiraud, elle est comment ?

— Je suis sûr que vous vous entendrez très bien avec elle. Elle est merveilleuse, mais je crois qu'elle n'est pas très heureuse ici. Elle

69

déteste cette vieille maison, et je me demande parfois si elle n'a pas peur de quelqu'un ou de quelque chose.

Mariette hoche timidement la tête.

— Moi non plus, je n'aime pas habiter ici, dit-elle. Et si l'idée de quitter maman ne me rendait pas triste, j'aimerais bien être interne, comme mon frère...

— Allez, suivez-moi, dit Noiraud. Il vaut mieux laisser Dago dans le placard pour l'instant, au cas où Simon reviendrait fureter dans ma chambre. D'ailleurs, je vais fermer la porte de la penderie et emporter la clef, ça sera plus sûr.

Bien que désolés de savoir le pauvre Dago prisonnier de son réduit, les enfants s'engagent dans le couloir à la suite de Mariette et Noiraud.

Après la porte de chêne, les enfants arrivent sur le palier d'un grand escalier de pierre aux marches larges et basses. Ils descendent et se retrouvent dans l'immense entrée de la maison. Noiraud ouvre une porte sur la droite :

— Nous voilà. Papa, excuse-moi de m'être précipité dans ma chambre, mais j'étais si content et j'avais tellement de choses à raconter !

— Décidément, tes manières ne s'améliorent pas, observe M. Lenoir d'une voix grave.

Les autres enfants pénètrent à leur tour dans

la pièce et se trouvent face à face avec leur hôte, assis dans un fauteuil au haut dossier sculpté. C'est un homme mince, à l'apparence soignée. Ses cheveux blonds coiffés en arrière encadrent un visage intelligent, et ses yeux bleus sont aussi clairs que ceux de Mariette. M. Lenoir sourit, mais alors que sa bouche et ses lèvres se dérident, le reste de sa physionomie demeure d'une froideur surprenante.

« Je n'ai jamais vu un regard aussi froid », se dit Annie en s'avançant vers le maître de maison. Il lui tend la main, sans aucune chaleur. Puis il sourit encore et lui passe le bras autour des épaules.

— Voici une demoiselle charmante, déclare-t-il, et qui s'entendra sûrement très bien avec Mariette. Quant à Pierre, il aura trois amis pour lui tout seul !

M. Lenoir prend de toute évidence Claude pour un garçon et personne ne tente de le contredire. Claude est ravie de cette méprise, et elle s'avance tranquillement vers son hôte pour lui donner une poignée de main, suivie par Mick et François.

Les enfants n'ont pas encore remarqué la présence de Mme Lenoir. Elle est pourtant là, assise au fond d'un grand fauteuil, fine comme une poupée avec ses yeux gris et ses cheveux blond cendré.

En la voyant, Annie ne peut cacher sa surprise.

— Excusez-moi, vous êtes si petite que je ne vous avais pas vue ! s'écrie-t-elle.

M. Lenoir éclate de rire. Mme Lenoir se lève, amusée. Elle est à peine plus grande qu'Annie mais sa délicatesse est infinie. La fillette la trouve ravissante. Elle s'approche d'elle et lui dit :

— Madame, c'est très gentil de nous avoir invités. On ne savait pas où aller depuis que l'arbre est tombé sur notre maison à cause de la tempête...

M. Lenoir se met encore à rire, puis il fait une petite plaisanterie que les enfants feignent de trouver drôle, par politesse.

— Eh bien, j'espère que vous ne vous ennuierez pas ici, dit-il. Pierre et Mariette vous emmèneront visiter la vieille ville, et vous pourrez même aller au cinéma, de l'autre côté du marais, à condition d'être prudents bien sûr.

— Merci, monsieur, répondent en chœur les enfants.

M. Lenoir se tourne vers François, croyant s'adresser au fils de son ami M. Dorsel :

— Ton père est un homme remarquable,

déclare-t-il. J'espère qu'il pourra venir vous chercher à la fin des vacances et que nous aurons l'occasion de bavarder un peu. Nous travaillons tous les deux sur des projets très proches, mais je n'en suis pas au même point que lui...

— Vraiment ? se contente de dire François poliment.

À ce moment s'élève la voix douce de Mme Lenoir.

— Simon vous servira vos repas dans la cuisine, annonce-t-elle à ses jeunes invités. Comme ça, vous serez tranquilles et vous ne risquerez pas de déranger mon mari. Il déteste parler quand il est à table, et j'imagine que vous ne tenez pas particulièrement à rester muets pendant vos repas !

M. Lenoir a un petit rire, puis son regard bleu scrute chacun des enfants avant de se fixer sur son fils.

— Tant que j'y suis, Pierre, dit-il brusquement, n'oublie pas que je t'ai interdit d'explorer les catacombes qui passent sous la maison. Tu n'as pas le droit non plus d'escalader les rochers ni de faire des acrobaties sur le chemin de ronde, surtout maintenant que tu n'es plus seul : je ne veux pas qu'il arrive un accident à tes amis. Compris ? Tu me promets de ne pas désobéir ?

— Mais, papa, je n'ai pas l'habitude d'escalader les rochers ni de danser sur les remparts ! proteste Noiraud.

— Et moi, je sais que, dès qu'il s'agit de faire des bêtises, tu es toujours partant ! D'ailleurs, tu n'es bon qu'à faire le clown ! conclut M. Lenoir d'un ton sec.

Annie remarque que le sourcil gauche de l'homme est plus froncé que l'autre, mais elle ne sait pas encore que c'est le signe avant-coureur des terribles colères de M. Lenoir.

— Papa, tu exagères ! s'exclame Noiraud, indigné. Je suis quand même le premier de ma classe !

Les enfants suivent la scène avec intérêt, soupçonnant que leur ami s'efforce de faire diversion pour éviter d'avoir à faire la promesse que lui demande son père.

— C'est vrai : Pierre nous a rapporté un bulletin excellent, renchérit Mme Lenoir, et il ne...

— Ça suffit ! l'interrompt violemment M. Lenoir, dont le visage est redevenu impassible. Et vous, les enfants, sortez d'ici. Tout de suite !

François, Mick, Claude et Annie se dépêchent d'obéir, déboussolés et effrayés par la tournure que les événements viennent de prendre. Mariette et Noiraud les suivent avec plus de calme. Quand la porte s'est refermée derrière eux, les quatre amis s'aperçoivent que Pierre Lenoir est tout sourire.

— Eh voilà ! Je n'ai rien promis du tout ! s'exclame-t-il, rayonnant. Papa voulait nous interdire ce qu'il y a de plus amusant. Qu'est-ce qu'il veut qu'on fasse ici, à part explorer le Rocher ? Vous verrez tout ce que je vais vous montrer.

— Qu'est-ce que c'est, des « chatacombes » ? questionne Annie, intriguée par le mot qu'a employé M. Lenoir.

— « Catacombes », pas « chatacombes », corrige Noiraud. Ce sont des souterrains et des passages secrets creusés dans la roche. C'est un vrai labyrinthe, et personne ne l'a complètement exploré. Beaucoup de gens s'y sont perdus...

— Mais enfin, dit Claude, pourquoi est-ce qu'il y a autant de portes secrètes, de galeries et d'escaliers dérobés ici ?

— C'est très simple, explique François. Puisque le Rocher Maudit était avant un véritable repaire de brigands, il fallait bien qu'ils puissent dissimuler leur butin, mais aussi se cacher, en cas de besoin.

75

— On reparlera de tout ça un peu plus tard, dit Noiraud. Venez avec moi, je vais vous montrer vos chambres. Il y a une vue magnifique de vos fenêtres !

Il entraîne ses amis au premier étage et les fait entrer dans deux pièces qui s'ouvrent sur un même couloir. Plutôt étroites, elles sont néanmoins très coquettes et meublées avec goût. Leurs larges baies dominent les toits et les tourelles de la vieille ville. Les enfants remarquent que, de cet observatoire, on distingue particulièrement la maison de M. Vadec, le contrebandier.

Chaque chambre contient deux lits jumeaux. L'une est destinée à Claude et à Annie, l'autre aux deux garçons, car Mme Lenoir, moins distraite que son mari, a bien compris que Claude était une fille !

— Ces chambres sont ravissantes ! décrète Annie. J'aime beaucoup ces boiseries sur les murs. Dis-moi, Noiraud, est-ce qu'il y a un passage secret ici aussi ?

— Chut, ne parlons pas de ça pour l'instant, répond le jeune garçon avec un sourire. Regardez : vos affaires sont déjà déballées et rangées dans l'armoire. Renée a dû passer. Elle est très gentille, vous savez. Elle est toute ronde et très

76

gaie, toujours de bonne humeur... Exactement l'inverse de Simon !

Comme Noiraud semble ne plus songer le moins du monde à Dagobert, Claude décide d'aborder elle-même ce sujet délicat.

— Et pour Dago ? demande-t-elle. J'espère qu'il ne sera pas trop malheureux...

— Ne t'inquiète pas, dit Noiraud. Il pourra aller et venir comme il le voudra dans le passage qui mène à ma chambre, et on pourra lui apporter à manger facilement. Et puis on le fera sortir tous les matins par une galerie qui débouche à flanc de colline, au bas de la ville. Il pourra se dégourdir les pattes. On va bien s'amuser avec lui !

Claude ne semble pas tout à fait convaincue.

— Il faudrait aussi qu'il puisse dormir dans ma chambre, reprend-elle. Sinon, il va hurler toute la nuit.

— On s'arrangera... assure Noiraud, sans donner plus de précisions. Mais tu sais qu'on devra être extrêmement prudents. Tu ne connais pas papa !

— Je commence à en avoir une petite idée ! s'exclame Claude, mi-amusée, mi-inquiète. Il serait bien capable de nous réduire en bouillie. Et maintenant, en route : allons voir ce que devient Dago !

 *Le souterrain*

— Qu'est-ce qu'on va bien pouvoir faire avec Dago ? se lamente encore Claude le lendemain matin, alors que les enfants sont réunis dans la chambre de Noiraud. On ne réussira jamais à lui faire traverser toute la maison jusqu'à la porte d'entrée sans que personne le voie. On risque de tomber sur M. Lenoir !

— Claude, je t'ai dit que je connaissais un souterrain pour sortir d'ici sans problème ! rappelle Noiraud. Et quand on sera sur la colline, ce ne sera pas grave si on croise du monde : les gens penseront que Dago est un chien perdu qui nous a suivis.

— Dans ce cas, décide Claude avec impatience, on n'a plus qu'à se mettre en route. Vite, montre-nous le chemin.

79

— Il faut d'abord passer chez Mariette, déclare Noiraud. Et je vous garantis que vous allez avoir une sacrée surprise en voyant le chemin qu'il faut emprunter !

Il ouvre la porte, jette un coup d'œil dehors, puis il se tourne vers sa sœur :

— Va faire un tour du côté de l'escalier, et si quelqu'un arrive, préviens-nous !

Mariette s'élance vers la porte de chêne, et au bout de quelques instants fait signe à ses amis : la voie est libre !

En un clin d'œil, les enfants se glissent dans la chambre de Mariette, où celle-ci se dépêche de venir les rejoindre. C'est une petite fille douce et craintive. Annie, qui l'aime beaucoup, essaie de la taquiner sur sa timidité.

Mais Mariette ne comprend pas la plaisanterie et, tout de suite, ses yeux se remplissent de larmes.

— Ça ira mieux quand elle sera interne, elle aussi, explique Noiraud. Il ne faut pas s'étonner qu'elle soit un peu sauvage, elle passe toute l'année enfermée dans cette maison sinistre ! Et elle ne voit pratiquement jamais personne de son âge.

Dès que tout le monde est entré dans la chambre, Noiraud ferme la porte à clef.

— Simple précaution au cas où notre ami Simon viendrait par ici, dit-il en souriant.

Puis il se met à déplacer tout ce qui se trouve au centre de la pièce : table, chaises, coussins et fauteuils. Ses compagnons le regardent, stupéfaits.

— Tu déménages ? questionne Mick, moqueur.

— Parfaitement, répond le garçon, sans s'émouvoir. Il faut que je roule le tapis. Il y a une trappe dessous...

Les enfants voient alors apparaître un large panneau découpé dans le parquet, avec un anneau pour le soulever.

— Un autre passage secret ! Il y en a vraiment partout dans cette maison ! se disent Claude et ses cousins, enthousiasmés, tandis que Noiraud tire le panneau vers lui. La trappe s'ouvre sans difficulté. Les enfants se penchent par-dessus le trou, mais leur regard ne rencontre que du noir.

— On n'y voit absolument rien, déclare François. Il y a des marches pour descendre là-dedans ?

— Non, répond Noiraud.

Il allume sa lampe électrique et la plonge dans l'ouverture.

— Regardez !

81

Ses compagnons retiennent un cri de stupeur.

— Mais il n'y a pas de fond ! s'exclame François, effaré. C'est un véritable puits. À quoi est-ce que ça pouvait bien servir ?

— Sans doute à cacher des gens, ou bien à s'en débarrasser, tout simplement ! suggère Noiraud. C'est un endroit rêvé, tu ne trouves pas ? En jetant quelqu'un là-dedans, on pouvait être sûr de ne jamais le revoir !

— Comment veux-tu que Dago descende par là, sans parler de nous ? Je n'ai aucune envie de tenter l'expérience ! s'écrie Claude.

Pierre Lenoir se met à rire.

— Tu vas voir, dit-il.

Il ouvre un placard et, sur la plus haute étagère, prend une sorte de paquet qu'il jette sur le plancher. C'est une longue échelle de corde, mince, mais très solide.

— Voilà le moyen de descendre, annonce-t-il.

— Pour nous, peut-être, fait Claude. Mais pour Dago ?

— Je sais ! s'écrie soudain Mariette.

Voyant que tout le monde la regarde, elle devient écarlate, mais poursuit courageusement :

— Il faut aller chercher le panier d'osier où on met le linge sale. On pourra y installer Dago, puis le laisser glisser jusqu'au fond du puits avec des cordes. Pour le remonter, on fera la même chose dans l'autre sens.

Les autres enfants écoutent la fillette, ébahis.

— Bravo, Mariette ! C'est une idée de génie, approuve François avec chaleur. Comme ça, Dago ne courra aucun risque. Mais il nous faudra un panier immense !

— Celui dont parle Mariette ira très bien, déclare Noiraud. Il est à la cuisine, je vais le chercher !

— Attends ! Qu'est-ce que tu vas trouver comme excuse pour l'emporter ? s'écrie François.

Mais Pierre Lenoir ne répond pas. Il s'élance déjà dans le couloir ! Prudemment, François referme la porte derrière lui et tourne la clef dans la serrure. Il ne s'agirait pas de se laisser surprendre par un intrus, alors que le tapis est relevé et la trappe ouverte !

Cinq minutes plus tard, Noiraud est de retour, portant un énorme panier d'osier.

— Voilà qui fera parfaitement l'affaire, approuve Mick en examinant le panier. Mais comment as-tu réussi à le prendre sans que personne s'en aperçoive ?

— Il n'y avait pas un chat dans la cuisine,

83

alors je n'ai rien demandé. Ni vu ni connu ! Si quelqu'un s'étonne, je pourrai toujours le rapporter.

Le garçon se dirige vers la trappe et fixe son échelle de corde au bord du trou. Elle se déroule en ondulant et on l'entend heurter le fond du puits. Claude appelle Dago qui s'approche en remuant la queue. La fillette lui met ses bras autour du cou.

— Mon pauvre Dago, dit-elle, tu dois sacrément t'ennuyer, enfermé dans ton couloir. Mais tu vas voir que ce matin, tu vas bien t'amuser !

— Je vais descendre en premier, annonce Noiraud. Après vous pourrez m'envoyer Dago. Il faut passer cette grosse corde autour de son panier. Elle est assez longue pour descendre jusqu'au fond du puits. On attachera l'extrémité au pied du lit de Mariette et, comme ça, on n'aura aucun problème pour remonter Dago tout à l'heure.

On installe le chien dans le panier. Étonné, il commence à gémir. Alors Claude lui prend le museau dans sa main.

— Chut, Dago, sois sage, dit-elle. Je sais bien que tout ça doit te paraître très bizarre mais je te promets que tu feras une belle promenade juste après !

Le mot de « promenade » remet un peu de baume au cœur du malheureux Dagobert. Aussi, il se résigne à son sort, rêvant d'une longue randonnée en plein air, au grand soleil !

— Dago est vraiment adorable, déclare Mariette. Vite, Noiraud, dépêche-toi de descendre.

Le garçon disparaît par la trappe, tenant sa lampe électrique entre deux doigts. La descente paraît interminable. Enfin, il prend pied au bas de l'échelle et, levant la tête, crie à ses amis, d'une voix qui semble venir du centre de la terre :

— Je suis prêt ! Allez-y !

Là-haut, dans la chambre, les enfants poussent l'énorme panier d'osier jusqu'au bord du trou. Qu'il est lourd ! Puis, le voyage de Dago commence. La malle descend lentement. Elle heurte par moments les parois du puits et Dago se met alors à gronder. Cette aventure ne lui plaît décidément pas du tout !

Pourtant, François et Mick laissent filer la corde le plus doucement possible. Quand le panier se pose au fond du puits, Noiraud se dépêche de soulever le couvercle et Dago se précipite hors de sa prison en aboyant de toutes ses forces ! Heureusement, la distance assour-

85

dit si bien ses cris que, dans la chambre, ses amis l'entendent à peine.

— Et maintenant, à votre tour ! crie Noiraud, faisant de grands signaux à ses camarades avec sa lampe. François, tu as fermé la porte à clef ?

— Oui. Attention, Noiraud : Annie va descendre !

Celle-ci empoigne l'échelle et s'engage dans le puits, pas très rassurée. Mais à mesure que ses pieds s'habituent à trouver les barreaux, elle prend plus d'assurance et achève rapidement la descente.

Lorsque les autres l'ont rejointe, ils examinent l'endroit où ils sont : les parois ruissellent d'humidité. Dans l'air flotte une vague odeur de moisi. Noiraud promène autour de lui le faisceau de sa lampe, et ses amis découvrent alors l'entrée de plusieurs galeries qui partent dans différentes directions.

— Tu sais où mènent tous ces souterrains ? demande François, étonné.

— Je dois avouer que non. Ils font partie de ces fameuses catacombes dont parlait mon père. Il paraît qu'ils font plusieurs kilomètres de long. Mais personne ne s'y risque plus. Il existait un plan de tout ça autrefois, mais il a disparu...

Annie frissonne.

— C'est sinistre, murmure-t-elle. Je ne resterais seule ici pour rien au monde !

— Mais c'est une cachette parfaite pour entreposer des marchandises de contrebande ! dit Mick.

— À l'époque, les corsaires et les trafiquants connaissaient certainement les moindres détours de ces souterrains, reprend Noiraud. Bon, on ne va pas rester plantés là. On va prendre la galerie qui se termine à flanc de colline. Après, il faudra faire un peu d'escalade. Ça ne vous pose pas de problème ?

— Aucun souci, assure François. On a l'habitude... Mais dis-moi, Noiraud, tu es bien sûr du chemin ? On ne tient pas à finir nos jours sous cette colline !

— Un peu que je connais le chemin ! En avant ! s'écrie Pierre Lenoir.

Et, brandissant sa lampe électrique, il s'engage hardiment dans l'une des galeries.

chapitre 8

Promenade

Le souterrain s'enfonce dans les profondeurs du Rocher Maudit. L'air est lourd, et des odeurs indéfinissables le traversent par instants. Souvent, la galerie dans laquelle cheminent les enfants débouche au fond d'un puits semblable à celui par lequel ils sont descendus. Pierre Lenoir braque alors sa lampe électrique en l'air pour attirer l'attention de ses amis. Il s'arrête sous l'un des puits, et dit :

— Celui-ci mène chez M. Vadec. La plupart des maisons de la ville communiquent avec les souterrains. Mais je vous assure qu'il n'est pas toujours facile de découvrir la trappe d'accès !

— Regardez, s'écrie soudain Annie, il y a de la lumière là-bas, devant ! Il était temps, je commençais à me dire qu'on ne sortirait jamais d'ici !

Effectivement, un peu de jour filtre par une ouverture qui donne à flanc de colline. Quand les enfants l'atteignent, ils se penchent au bord du trou afin de regarder au-dehors.

Ils surplombent maintenant les remparts de la ville. Noiraud sort le premier du souterrain et se hisse sur une corniche.

— Il faut d'abord atteindre ce sentier que vous voyez un peu plus bas, dit-il en tendant le bras. Il rejoint les fortifications à un endroit où le mur n'est pas trop difficile à escalader. J'espère que Dago saute bien. Il ne faudrait pas qu'il glisse jusque dans le marais !

Le plan est périlleux, et Claude a un instant d'inquiétude. Mais elle se rassure vite : Dago a un bon équilibre, et elle est certaine qu'il se tirera parfaitement de l'épreuve. D'ailleurs, le sentier que désigne Noiraud semble assez praticable.

Guidée par Noiraud, la petite troupe se met en route et ne tarde pas à atteindre les remparts. Ils ne sont pas très hauts et Dago saute dessus, avec la souplesse d'un chat.

— Décidément, ce chien m'étonnera toujours ! s'exclame Mick en se tournant vers Claude.

— Je parie qu'il serait capable d'aller plan-

ter un drapeau au sommet de la tour Eiffel !
Et...

— Vite, dépêchons-nous, intervient Noiraud.
Il n'y a pas encore grand monde dans les rues,
et personne ne nous verra escalader le mur.
C'est le moment d'en profiter.

Les enfants rejoignent Dagobert en un clin
d'œil. Puis ils se mettent en route, ravis à l'idée
de visiter la vieille ville.

Il fait doux, la brume commence à se lever
et le soleil brille dans un ciel sans nuage.

La ville est très ancienne. Certaines maisons
qui tombent presque en ruine ne sont pas aban-
données pour autant, car on voit de la fumée
sortir de leurs cheminées. Les enfants sont surpris par les boutiques, qui ont conservé leurs
poutres apparentes et leurs auvents à l'ancienne.
Les hautes façades voûtées sont impression-
nantes.

— Attention ! Je vois Simon qui vient de
notre côté ! jette soudain Noiraud, tandis que
ses camarades flânent devant les vitrines d'un
magasin.

Et vite, il ajoute à voix basse :

— Surtout, ne vous occupez pas de Dago.
S'il vient tourner autour de nous ou réclamer
une caresse, faites comme si vous ne le connais-
siez pas.

91

Absorbés dans la contemplation de la devanture, les enfants font semblant de ne pas voir Simon. Pourtant Dago, qui trotte un peu plus loin, s'étonne de ne plus les voir derrière lui et se précipite vers Claude. Puis il saute autour d'elle pour attirer son attention.

— Va-t'en ! s'écrie Noiraud en le repoussant. Tu n'as pas bientôt fini de nous suivre ? Va retrouver ton maître et laisse-nous tranquilles !

Croyant que le garçon vient d'inventer un nouveau jeu, Dago se met à aboyer et à tourbillonner autour de ses amis comme un fou.

— Va-t'en, sale bête ! s'écrie Noiraud, en simulant la colère.

Mais Simon se dirige vers les enfants. Son visage est, comme toujours, parfaitement inexpressif.

— Si ce chien vous ennuie, dit-il, je vais le chasser.

— De quoi vous mêlez-vous ? lance Claude, indignée. Ça ne me dérange pas du tout que ce chien nous suive, il a l'air très gentil.

— Tais-toi, idiote, grommelle Noiraud. Tu sais bien que Simon est sourd comme un pot.

À cet instant, Claude voit avec horreur que Simon se baisse pour ramasser une pierre et la

92

lancer sur Dagobert. Elle se jette sur lui sans hésiter et l'oblige à lâcher le projectile.

— Comment osez-vous maltraiter une pauvre bête ? s'écrie Claude, hors d'elle. Vous êtes un monstre !

— Allons, allons, dit soudain une voix, qu'est-ce qui se passe ici ?

Les enfants se retournent, interloqués, et voient un personnage qui s'est approché sans un bruit. Les cheveux assez longs, il a un grand nez, le menton allongé et de petits yeux bridés d'un gris-bleu acier. Ses jambes maigres paraissent interminables et ses pieds d'une longueur démesurée.

— Oh ! Monsieur Vadec ! Je ne vous avais pas vu, dit Noiraud poliment. Il n'y a rien de grave, rassurez-vous. Mais ce chien s'obstine à nous suivre depuis ce matin. Simon voulait le chasser à coups de pierre et comme notre amie Claude adore les animaux, elle s'est mise en colère.

— Je comprends... Mais dis-moi, Pierre, qui sont ces enfants ? demande M. Vadec, promenant un regard glacial sur le petit groupe.

— Ce sont des amis qui sont venus passer leurs vacances avec moi parce que la tempête a fait tomber un arbre sur la maison de leur oncle... ou plutôt... du père de Claude, à Kernach.

— À Kernach ?

Et M. Vadec prend soudain un air très intéressé.

— Ce n'est pas là qu'habite ce scientifique dont parle si souvent M. Lenoir ?

— C'est bien ça, monsieur, intervient Claude. C'est mon père... Vous le connaissez ?

— J'ai entendu parler de lui et de ses travaux, explique M. Vadec. Je crois qu'il est très ami avec M. Lenoir, n'est-ce pas ?

— Pas exactement, dit Claude étonnée par le tour que prend la conversation. Je sais qu'ils s'écrivent régulièrement et que, l'autre jour, mon père a téléphoné à M. Lenoir pour lui demander s'il pouvait nous recevoir chez lui pendant qu'on réparait notre maison...

— Et bien sûr, M. Lenoir a accepté sans hésiter. C'est un homme d'une telle générosité !

Les enfants regardent leur interlocuteur avec un certain malaise. Son ton ironique semble contredire les paroles aimables qu'il prononce. Il est évident qu'en réalité M. Vadec n'éprouve aucune sympathie pour M. Lenoir. Et même si Claude et ses cousins n'apprécient pas particulièrement leur hôte, cela ne les empêche pas de détester encore plus M. Vadec !

Là-dessus, Dagobert aperçoit un autre chien et s'élance fougueusement à sa poursuite. Simon s'est déjà éloigné, son panier à provisions sous le bras. Les enfants s'empressent alors de dire au revoir à M. Vadec.

— Eh bien ! s'écrie François, dès que l'homme est à bonne distance, on peut dire qu'on l'a échappé belle avec Simon ! Quand je pense qu'il voulait lancer des pierres sur Dago... Heureusement que tu lui as sauté dessus, Claude ! Mais tu as bien failli vendre la mèche...

— Je m'en moque ! Je n'allais quand même pas laisser cette brute casser une patte à Dago ! N'empêche qu'on n'a pas eu de chance de tomber sur Simon dès notre première sortie.

— Bah ! Ça ne se reproduira peut-être jamais, dit Noiraud d'une voix rassurante. Et même si ça arrivait de nouveau, on n'aura qu'à dire que ce chien nous suit partout chaque fois qu'il nous rencontre. D'ailleurs, c'est un peu la vérité, non ?

La promenade se poursuit le plus agréablement du monde. Les enfants entrent dans une pâtisserie où ils mangent des brioches et des croissants chauds. Dago en reçoit deux, dont il ne fait qu'une bouchée, pendant que Claude va lui acheter un peu de viande dans une boucherie voisine. Noiraud a affirmé que sa mère ne se rendait jamais dans cette boutique-là, alors la fillette est sûre qu'elle ne risquera pas d'y croiser Mme Lenoir.

À la fin de la matinée, les enfants regagnent *Le Pic du Corsaire* par le même chemin qu'à l'aller. Le retour se fait sans encombre et quand tous les amis se trouvent rassemblés dans la chambre de Mariette, il reste encore dix minutes avant l'heure du déjeuner.

— On a juste le temps de refermer la trappe, de remettre le tapis en place et de nous laver les mains, déclare Noiraud. Moi, je vais ramener Dago dans le passage secret. Claude, donne-moi le paquet de viande que tu lui as acheté. Je vais le lui laisser pour qu'il puisse manger quand il voudra.

— Tu as pensé à lui mettre un bol d'eau fraîche et une bonne couverture pour se coucher ? demande Claude avec inquiétude.

— Mais oui, enfin : ça fait au moins dix fois que tu me le demandes !

Et Noiraud continue en s'adressant aux autres :

— Écoutez : on va se contenter de remettre les fauteuils et les chaises en place. Si quelqu'un nous demande pourquoi les meubles ne sont pas à leur place, on dira qu'on a besoin de beaucoup d'espace au centre de la pièce pour jouer à un nouveau jeu. Ça prendra trop de temps de tout déménager chaque fois qu'on voudra faire sortir Dagobert...

Quand les enfants entrent dans la cuisine, à midi pile, Simon et Renée s'y trouvent déjà.

— J'espère que vous avez réussi à vous débarrasser de ce sale cabot ! dit le majordome de sa voix monotone.

En même temps, il jette à Claude un coup d'œil haineux. Il n'est sans doute pas près d'oublier la manière dont elle l'a bousculé.

Noiraud répond d'un signe de tête affirmatif.

Les enfants se mettent à table avec appétit : les brioches et les croissants qu'ils ont dévorés au cours de leur promenade ne sont déjà plus qu'un lointain souvenir.

Heureusement, les repas sont délicieux et abondants au *Pic du Corsaire*.

Les jeunes convives font tous honneur à ce qu'on leur présente, à l'exception de Mariette qui ne mange jamais beaucoup.

Plusieurs jours passent tranquillement. Les nouveaux venus se sentent bien dans leur nouvelle demeure. Dagobert lui-même semble s'accommoder assez bien de sa situation pour le moins étrange. Quand les enfants sont occupés, il doit rester dans le passage qui lui est réservé. Il le parcourt d'un bout à l'autre, à la fois surpris et inquiet d'être enfermé, et il guette avec impatience le coup de sonnette annonçant la visite de ses amis ou bien l'heure de sa promenade quotidienne. Il est nourri comme un prince car, le soir, Noiraud dévalise le garde-manger pour lui. La cuisinière s'étonne chaque jour de voir les restes et les os de gigot disparaître comme par enchantement.

Tous les matins, les enfants empruntent les galeries souterraines pour aller faire une longue promenade avec lui. L'après-midi, ils jouent aux cartes ou lisent dans la chambre de Noiraud. Dagobert reste alors avec eux, car ils peuvent compter sur le signal installé par leur camarade pour les prévenir de l'arrivée d'un intrus.

Le seul moment critique de la journée est lorsqu'on le conduit dans la chambre des filles, le soir. Il faut alors risquer le tout pour le tout, dans l'obscurité la plus complète, car Simon a la fâcheuse manie d'arriver à pas de loup, au moment où on s'y attend le moins.

L'aventure semble toujours enchanter Dago. Et il s'en va par les escaliers et les couloirs, trottant sans bruit, sur les talons de Claude, s'arrêtant comme elle avant les passages les plus dangereux, pour se précipiter dans la chambre des filles dès que l'occasion est favorable. Puis il se réfugie sous le lit et attend tranquillement que Claude soit couchée. Alors, il ne fait qu'un bond pour monter se blottir sur l'édredon.

Claude n'oublie jamais de fermer sa porte à clef, car il ne faut pas que Renée ou Mme Lenoir, entrent à l'improviste et découvrent Dagobert ! Cependant, il n'y a jamais la moindre alerte, et, à mesure que les jours passent, Claude sent ses inquiétudes s'évanouir.

Le retour de Dago dans la chambre de Noiraud n'est pas non plus une mince affaire. Il faut le ramener très tôt le matin, avant que quelqu'un se soit levé dans la maison. Heureusement, Claude a la capacité de se réveiller sans effort à l'heure de son choix. Aussi est-elle debout dès six heures tous les matins. Elle se glisse à pas de loup jusqu'à la porte de Noiraud. Celui-ci, déjà réveillé par l'avertisseur déclenché par le passage de Claude dans le couloir, saute à bas de son lit pour accueillir Dago.

— J'espère que vous vous amusez bien, dit M. Lenoir, chaque fois qu'il rencontre ses jeunes hôtes dans l'entrée ou dans l'escalier.

— Oh oui, monsieur ! répondent-ils systématiquement.

chapitre 9

Un mystère

Une nuit, François est réveillé en sursaut par le grincement de sa porte. Quelqu'un vient d'entrer dans sa chambre ! Le garçon se dresse d'un bond.

— Qui est là ? demande-t-il.

— J'ai quelque chose à te montrer.

François réveille son frère et tous deux enfilent leur robe de chambre en vitesse. Puis ils suivent Noiraud, qui les emmène à l'autre extrémité de la maison, dans une petite pièce poussiéreuse qui sert de débarras.

Toutes sortes d'objets sont entreposés là : malles et valises, jouets cassés, cartons de vieux vêtements, vases ébréchés, ainsi qu'une foule d'autres articles inutilisables.

— Regardez, dit Noiraud, entraînant ses amis vers la fenêtre.

101

De cet endroit on a une vue parfaite sur la vieille tour collée à la maison.

Des signaux sont envoyés du donjon. Une lumière s'allume, puis s'éteint. Il y a quelquefois une interruption prolongée, puis le clignotement lumineux reprend, sur un rythme régulier.

— Vous voyez ? Je ne sais pas du tout qui peut faire ça, murmure Noiraud.

— Ce n'est pas ton père ? suggère François.

— Ça m'étonnerait, je l'ai entendu ronfler dans sa chambre tout à l'heure. Mais il faut en avoir le cœur net. Allons voir s'il est bien chez lui.

— Attention, il ne faut pas se faire prendre, objecte François, à qui la perspective de rôder ainsi dans la maison ne dit rien qui vaille.

Les trois garçons se dirigent vers la chambre de M. Lenoir. Ce dernier s'y trouve sans aucun doute, car le bruit léger d'un ronflement parvient aux enfants à travers la porte fermée.

— Moi, je me demande si ce ne serait pas Simon qui fait des signaux dans la tour, dit alors Mick. Il a l'air tellement bizarre... Je n'ai pas du tout confiance en lui, et plus j'y réfléchis, plus je suis persuadé que c'est lui !

— On peut toujours aller jeter un coup d'œil

dans sa chambre, propose Noiraud. Si elle est vide, on sera fixés.

— Simon agit peut-être sur son ordre, dit François, qui au fond de lui-même ne se fie pas plus à M. Lenoir qu'au majordome.

Les enfants prennent l'escalier de service pour monter à l'étage réservé aux employés.

Noiraud pousse doucement la porte de la chambre de Simon et passe la tête par l'entre-bâillement pour regarder à l'intérieur. La pièce est éclairée par la lune, dont la lumière tombe en plein sur le lit, placé à côté de la fenêtre. Et Simon est là ! Noiraud distingue nettement la forme massive de son corps, qui soulève le drap, et la tache sombre de sa tête sur l'oreiller. Le garçon prête l'oreille, mais ne peut entendre l'homme respirer. Il doit être profondément endormi.

Se retirant avec précaution, Noiraud referme la porte sans bruit. Puis, toujours en silence, il pousse ses deux compagnons vers l'escalier.

— Il est là ? demande François dans un souffle.

— Oui, répond Noiraud. Donc ce n'est pas lui qui envoie les signaux... Mais alors, qui est-ce que ça peut bien être ? Ça ne peut pas être maman, ni Renée... Je commence à trouver cette affaire inquiétante : vous imaginez si

103

un inconnu se cache dans la maison et y vit sans qu'on le sache ?

— Quelle idée, c'est impossible ! proteste François, sentant un frisson lui passer dans le dos. Écoute, je te propose de monter dans la tour. On pourrait regarder par le trou de la serrure et surprendre la personne qui se trouve là-haut. Comme ça, on saura à quoi s'en tenir. Mais il faudrait peut-être avertir ton père.

— Non, pas encore. Ça ne sert à rien de donner l'alerte tant qu'on n'en sait pas plus, répond Noiraud fermement. Allons à la tour. Mais il faudra faire très attention. Pour monter là-haut, on devra prendre un vieil escalier en colimaçon si étroit qu'il n'y aura pas le moindre recoin où nous cacher si quelqu'un descend au moment où nous arrivons.

— Qu'est-ce qu'il y a dans cette tour ? demande Mick alors que les trois garçons traversent la maison silencieuse.

— Oh ! Pas grand-chose : une table, quelques chaises et des étagères avec des livres, répond Noiraud. On s'y installe en été, les jours où il fait très chaud. Là-haut, il y a toujours un peu de vent et, quand les fenêtres sont ouvertes, on y est très bien. Et puis, la vue est magnifique.

Les trois enfant arrivent sur une sorte de petit

palier d'où part l'escalier de pierre en spirale qui conduit au sommet de la tour. Ils marquent une pause. Juste au-dessus d'eux, une meurtrière laisse filtrer sur les dalles un long rayon de lune.

— Il ne vaut mieux pas monter tous les trois, dit Noiraud. Attendez-moi ici, je vais aller jeter un œil.

Il s'engage dans l'escalier sans bruit et, après avoir gravi quelques marches, disparaît aux yeux de ses compagnons. Ceux-ci restent dans l'ombre du palier. Remarquant un épais rideau qui masque une fenêtre, ils se glissent derrière et s'enveloppent dans les plis du tissu afin de se protéger de l'humidité glacée qui monte du sol.

Noiraud atteint le haut des marches. La pièce circulaire qui occupe tout le sommet de la tour est fermée par une solide porte de chêne, couverte de ferrures et garnie de clous énormes. Noiraud se penche en avant pour regarder par le trou de la serrure. Malheureusement, il est bouché par un petit objet enfoncé de l'intérieur. Alors, le jeune garçon colle son oreille contre la porte pour écouter. Il entend une série de petits bruits métalliques qui ressemblent à des déclics. Rien de plus.

« C'est l'interrupteur de la lampe qui sert aux

105

signaux, songe Noiraud. En attendant, je ne suis pas bien avancé. Je ne sais toujours pas à qui ces messages sont destinés et ce qu'ils signifient. Ah ! Qu'est-ce que j'aimerais connaître la personne qui les envoie ! »

Tout à coup, le bruit s'interrompt. Des pas résonnent sur le sol dallé de la tour. Et presque aussitôt la porte s'ouvre !

Noiraud n'a pas le temps de descendre l'escalier. Instinctivement, il se plaque contre le mur, dans l'espoir de passer inaperçu. Par bonheur, la pierre est légèrement en retrait à cet endroit et forme une sorte de niche. Au même instant, un nuage passe devant la lune et le garçon, brusquement plongé dans l'ombre, commence à se rassurer lorsque quelqu'un s'engage dans l'escalier et lui effleure le bras.

Noiraud retient son souffle et attend, le cœur battant, convaincu qu'on va découvrir sa cachette. Mais le mystérieux personnage continue à descendre les marches comme si de rien n'était.

Noiraud n'ose pas le suivre de peur que la lune, soudain démasquée, ne projette son ombre devant lui, ce qui le trahirait immédiatement. Et il reste immobile, espérant que ses amis auront pu se cacher quelque part et que surtout

106

ils ne croiront pas que c'est lui qui descend en ce moment l'escalier.

En entendant des pas sur les marches, Mick et François pensent en effet qu'il s'agit de leur compagnon. Mais, surpris de ne pas entendre sa voix, ils se tiennent prudemment derrière le rideau, soupçonnant que la personne qu'ils cherchent à démasquer va sans doute passer devant eux !

— Vite, il faut le suivre, souffle François à l'oreille de son frère lorsqu'une silhouette passe à leur hauteur. Et surtout, pas de bruit !

Mais le garçon, empêtré dans les lourds rideaux, n'arrive pas à se dégager assez rapidement pour accompagner Mick, déjà lancé sur les traces de l'inconnu. La lune brille à présent et, chaque fois que l'homme traverse une bande de lumière, Mick le voit parfaitement. S'efforçant de toujours rester lui-même dans l'ombre, il suit le mystérieux personnage sans bruit, de plus en plus intrigué. Où va-t-il donc ?

L'un derrière l'autre, l'homme et le garçon s'engagent bientôt dans un long couloir. Et Mick s'aperçoit avec étonnement que c'est celui qui mène chez Simon.

Mais il n'est pas au bout de ses surprises car il voit alors l'inconnu pousser la porte de la chambre du majordome. La porte reste légèrement entrebâillée. Mick s'approche sur la pointe des pieds : aucune lumière ne s'est allumée dans la pièce. On n'entend pas un son. Soudain, quelque chose grince.

Poussé par un irrésistible élan de curiosité, Mick jette un coup d'œil à l'intérieur de la chambre. Va-t-il voir l'inconnu réveiller Simon ou bien s'échapper en passant par la fenêtre ?

Son regard fait le tour de la mansarde. Il n'y a personne. Personne à part Simon, toujours profondément endormi. Le clair de lune éclaire abondamment la pièce et Mick doit bien se rendre à l'évidence : l'homme a disparu. Soudain, Simon pousse un profond soupir et se retourne dans son lit.

« Ça alors ! se dit Mick, abasourdi. Je n'y comprend rien ! Quelqu'un est entré dans cette pièce et a disparu en un clin d'œil, sans faire le moindre bruit, ni laisser la moindre trace ! Qu'est-ce que ça veut dire ? »

Il se dépêche de revenir sur ses pas pour raconter à ses compagnons cette étrange aventure. Pendant ce temps, Noiraud a rejoint François et tous deux sont partis à la recherche de Mick au pas de course. Ce dernier, ne les distinguant pas dans l'obscurité, vient buter contre eux, en étouffant un cri d'effroi. Les deux frères et Noiraud se retrouvent à terre et restent un moment paralysés par la peur. François est le premier à retrouver ses esprits.

— Mick, c'est toi ? Tu m'as fait une de ces peurs ! murmure-t-il. Alors, tu as réussi à voir qui c'était ?

Mick raconte la poursuite en détail.

— L'inconnu est entré dans la chambre de Simon, et il s'est littéralement volatilisé, conclut-il. Tu sais s'il existe un autre passage secret qui aboutit à cette pièce, Noiraud ?

— Il n'y en a pas, affirme le garçon. Cette partie de la maison est beaucoup plus récente... Du coup, je n'ai pas la moindre idée de ce qu'est devenu notre homme ni de ce que signifient les signaux qu'il transmet depuis la tour. C'est vraiment une histoire à dormir debout !

— Il faut à tout prix qu'on tire ça au clair, décide François. C'est une énigme tellement extraordinaire... Mais, au fait, Noiraud, comment as-tu découvert que quelqu'un envoyait des signaux ?

— Je m'en suis aperçu une nuit, complètement par hasard. Je n'arrivais pas à m'endormir, alors je suis monté dans le petit débarras pour y chercher un vieux livre d'aventures. J'ai regardé machinalement par la fenêtre, et là j'ai vu une lumière s'éteindre, puis se rallumer brusquement sur la tour.

— Bizarre, murmure Mick.

— Je suis retourné là-haut plusieurs fois pour observer les signaux, continue Noiraud. Mais il ne s'est rien passé pendant plusieurs nuits, jusqu'à ce que les appels lumineux reprennent. Je me suis rendu compte que la première fois que j'ai aperçu les signaux et la nuit où ils ont repris étaient des soirs où il y avait un clair de lune magnifique... Ça m'a frappé et je me suis dit qu'à la prochaine nuit de pleine lune, je reviendrais voir. Et comme je m'y attendais, une lumière clignotait au sommet de la tour !

— De quel côté donne la fenêtre qui émet les signaux ? questionne François, pensif. Sur la mer ou sur la terre ?

Noiraud n'hésite pas une seconde.

— Sur la mer, répond-il. Ce qui veut dire qu'il y a forcément quelqu'un qui reçoit les signaux quelque part au large. Mais va savoir qui !

— Sans doute des contrebandiers, conclut Mick. Ne t'en fais pas, Noiraud, je crois que ça n'a rien à voir avec ton père... Dites, si on retournait à la tour ? On trouvera peut-être un indice.

Ils reviennent sur leurs pas et grimpent l'escalier en colimaçon. La pièce circulaire où s'est caché Noiraud plus tôt est plongée dans l'obscurité complète, car la lune s'est cachée. Mais, au bout de quelques instants, les nuages s'éloignent, et les enfants s'approchent de la fenêtre donnant sur le large.

Il n'y a pas la moindre traînée de brume, et l'on peut voir les marécages s'étendre au loin, jusqu'à la mer. Les enfants contemplent le spectacle en silence. Soudain, la lune disparaît de nouveau et l'ombre recouvre le marais. Quelques secondes s'écoulent. Tout à coup, François saisit le bras de ses compagnons avec une brusquerie qui les fait sursauter.

— Je vois quelque chose... murmure-t-il. Regardez, là-bas, un peu à gauche... Qu'est-ce que ça peut bien être ?

Les trois garçons scrutent l'obscurité. Ils aperçoivent une petite ligne de points lumineux, mais si loin qu'ils sont incapables de dire s'ils se déplacent ou s'ils restent immobiles. Puis la lune reparaît, inondant le paysage de sa clarté argentée, et les enfants ne voient plus que son miroitement sur les marécages.

Patiemment, ils attendent que l'astre soit de nouveau dissimulé par les nuages, et à l'instant même où l'obscurité revient, le pointillé des lumières lointaines se détache de nouveau des ténèbres...

— On dirait qu'elles se sont rapprochées depuis tout à l'heure ! s'exclame Noiraud. Ce sont sûrement des contrebandiers ! Ils doivent se trouver sur l'un de ces sentiers secrets qui mènent au Rocher Maudit à travers le marais...

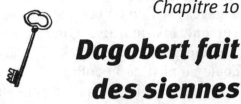

Chapitre 10

Dagobert fait des siennes

Le lendemain matin, les filles écoutent avec stupéfaction le récit de ce qui s'est passé la nuit précédente.

— Ça alors ! s'exclame Annie, faisant des yeux ronds.

— C'est hallucinant, renchérit Claude. Mais enfin, pourquoi est-ce que vous n'êtes pas venus nous chercher toutes les trois ?

— Si tu crois qu'on en a eu le temps, réplique Mick. Et puis, on aurait dû emmener Dago et c'était impossible : il aurait été capable de sauter à la gorge de l'homme !

— Les signaux étaient sûrement destinés aux contrebandiers, déclare François. À mon avis, les brigands ont dû débarquer d'un bateau venu d'Angleterre... ou d'Espagne... Ils se sont

113

approchés le plus possible du marais, puis ils ont attendu le signal lancé de la tour, et, quand ils ont été sûrs que la voie était libre, ils se sont engagés sur l'un de ces chemins secrets qui traversent les marais. Quelqu'un devait les attendre pour recevoir les marchandises... sans doute au pied de la colline.

— Je ne vois pas qui ça peut être, dit Mick. En tout cas, pas M. Vadec puisque les signaux provenaient de notre maison !

— Il faut trouver le fin mot de l'histoire, décide Claude. Même si ça ne fait pas plaisir à ton père, Noiraud. Il se passe des choses très étranges... à nous de résoudre l'énigme !

Cette conversation se déroule pendant le petit déjeuner, dans la cuisine, où les enfants prennent leurs repas. Quand Simon entre dans la pièce pour voir s'ils ont terminé, Annie ne s'aperçoit pas de sa présence.

— Tu sais à quel genre de contrebande se livre M. Vadec ? demande-t-elle à Noiraud.

Au même instant, quelqu'un lui assène un coup de pied sur la cheville, et elle s'arrête net, le souffle coupé par la douleur. Stupéfaite, elle regarde son voisin et balbutie :

— Qui est-ce qui... ?

Mais un second coup de pied encore plus violent l'interrompt. Soudain, elle voit Simon.

— C'est ridicule ! s'emporte-t-elle. Il est sourd ! Comment voulez-vous qu'il comprenne ce qu'on dit ?

Le majordome s'est mis à débarrasser la table, le visage impassible. Noiraud lance à Annie un regard furibond. Elle semble indignée, pourtant elle se tait. Mais, dès que Simon a quitté la pièce, elle proteste avec énergie :

— Espèce de brute ! Tu m'as fait très mal ! Et tu n'avais aucune raison de me taper, Simon est sourd comme un pot !

— C'est ce qu'il dit... réplique Noiraud, tandis qu'Annie se frictionne la cheville. Mais j'ai toujours eu des doutes à ce sujet. En tout cas, il a fait une drôle de tête quand tu m'as demandé à quel genre de contrebande se livrait M. Vadec : il a eu l'air surpris... On aurait vraiment dit qu'il t'avait entendue.

— Tu as trop d'imagination ! répond Annie, vexée. Ne me donne plus jamais de coup de pied ! Tu aurais pu te contenter de me pousser un peu du coude, j'aurais compris. Mais bon, si tu tiens absolument à ce que je me taise devant Simon, je ne dirai plus un mot... même si pour moi, il n'y a aucun doute : on pourrait tirer un coup de canon à côté de lui, il n'entendrait rien du tout !

— Peu importe ! Sourd ou non, je me méfie

115

de lui comme de la peste. J'ai toujours l'impression qu'il suit ce qu'on dit. Il sait peut-être lire sur les lèvres...

Les enfants partent chercher Dago pour sa promenade quotidienne. Le chien est maintenant tout à fait habitué à la façon étrange dont procèdent ses jeunes maîtres chaque matin pour l'emmener avec eux. Ils n'ont même pas besoin de l'encourager ; dès qu'il voit Claude ouvrir la malle d'osier, il saute dedans et s'y couche de lui-même !

Ce jour-là, les promeneurs rencontrent de nouveau Simon. Ce dernier examine Dago avec intérêt : il l'a certainement reconnu.

— Attention, voilà Simon ! avertit François à voix basse. Cette fois, ce n'est pas la peine de repousser Dago. On dira que c'est un chien errant qui nous suit tous les matins.

Les enfants laissent donc Dago aller et venir autour d'eux, et lorsqu'ils arrivent à la hauteur du majordome, ils se contentent de lui adresser un signe de tête, sans faire mine de vouloir s'arrêter. Mais l'homme les interpelle :

— On dirait que cet animal vous connaît, dit-il de sa voix monocorde.

— C'est vrai, il nous accompagne tous les matins, explique François poliment. Il doit nous prendre pour ses maîtres. C'est une belle bête, vous ne trouvez pas ?

Simon regarde durement Dagobert, qui se met aussitôt à gronder.

— En tout cas, ne l'emmenez pas à la maison, fait le majordome. M. Lenoir le ferait abattre immédiatement.

François voit le visage de Claude se décomposer sous l'effet de la colère. Il se dépêche donc de répondre :

— Quelle idée ! Pourquoi voudriez-vous que nous ramenions ce chien à la maison ?

Simon paraît ne pas entendre. Il jette à Dago un regard mauvais puis passe son chemin, mais il se retourne plusieurs fois pour observer le petit groupe.

— Le monstre ! s'écrie Claude, indignée. Comment peut-on dire des choses pareilles ?

Lorsque les enfants ont regagné la chambre de Mariette, Claude déclare :

— Pendant que vous remettez tout en ordre, je vais ramener Dago dans le passage secret. Je lui laisserai des friandises pour le consoler. J'ai acheté ses biscuits préférés ce matin : très gros et bien croustillants.

Elle se dirige vers la porte, suivie de Dago, mais à l'instant où elle avance la main pour

117

tourner la clef, le chien pousse un léger grognement.

Claude s'arrête net et se retourne vers lui, inquiète. Elle le voit regarder fixement la porte, le cou tendu, tandis que ses poils se hérissent lentement sur son dos. D'un signe, elle lui ordonne de se taire, puis, revenant vers ses compagnons, elle leur dit dans un souffle :

— Il y a quelqu'un derrière la porte : Dago le sent... Mettez-vous à parler très fort, comme si vous étiez en train de jouer. Moi, je me dépêche de cacher Dago dans le placard.

Les autres engagent immédiatement une conversation animée, tandis que Claude entraîne rapidement son chien vers sa cachette provisoire. Elle le caresse et lui dit quelques mots pour lui faire comprendre qu'il doit être sage, puis elle l'enferme à clef.

— À moi de distribuer ! s'écrie François, d'une voix claironnante.

Et, prenant un jeu de cartes dans un tiroir, il continue :

— Tu as gagné une manche, Mick, mais je te parie que, cette fois, je vais te battre à plate couture !

Il répartit les cartes avec agilité. Ses compagnons bavardent et rient à grand bruit, racontant tout ce qui leur passe par la tête. Puis ils

118

commencent la partie en lançant de grandes exclamations.

— À toi, Mick !

— Pique !

— Roi !

— Je coupe !

— Et moi, je surcoupe !

Personne ne pourrait croire que les enfants font semblant de s'amuser. Cependant, Claude, qui garde les yeux rivés sur la porte, voit la poignée bouger sans bruit. Quelqu'un essaie d'ouvrir, très discrètement, espérant sans doute faire irruption dans la chambre à l'improviste... Mais, heureusement, les enfants ont donné un tour de clef !

Celui qui se trouve de l'autre côté comprend bientôt que la porte est fermée, car la poignée revient doucement à son point de départ. Là, elle ne bouge plus. Les autres font un tel brouhaha que Claude ne peut distinguer aucun bruit dans le couloir et elle n'arrive pas à savoir si l'indiscret est encore là.

Soudain, elle pense à Dago : il saura, lui. Alors, Claude, faisant signe à ses amis de continuer leur tapage, s'empresse de sortir Dago du placard. Il s'élance aussitôt vers la porte, renifle le bas du panneau, puis se retourne vers sa maîtresse en remuant la queue.

119

— Tout va bien, dit alors Claude à ses compagnons. Il n'y a plus personne maintenant : le flair de Dago est infaillible. La voie est libre, il faut en profiter pour ramener mon chien chez toi, Noiraud. À ton avis, qui pouvait bien nous espionner ?

— Simon ! répond Noiraud sans la moindre hésitation.

Il ouvre la porte, passe la tête avec précaution. Puis, ne voyant personne, il s'avance jusqu'au bout du couloir et il fait signe à Claude qu'il n'y a plus de danger. Quelques instants plus tard, Dagobert a réintégré son refuge habituel, où il avale en un rien de temps les gâteaux offerts par sa maîtresse.

— C'est l'heure d'aller déjeuner, déclare Mick, en quittant la chambre. Et surtout, Annie, ne t'avise pas de dire quoi que ce soit devant Simon.

— Pour qui est-ce que tu me prends ? riposte sa sœur, vexée.

Peu de temps après, les enfants se mettent à table. Simon leur apporte des friands au fromage, puis il sort. Les jeunes convives restent seuls, car Renée a pris un jour de congé. Soudain ils sursautent, au comble de la stupeur : on entend Dagobert aboyer !

— Qu'est-ce qui se passe ? s'exclame Fran-

120

çois. Dago est certainement dans le tronçon du passage secret qui longe la cuisine... Sa voix est très différente entendue comme ça, à travers les murs...

— N'empêche qu'on reconnaît tout de suite que c'est un chien, déclare Annie.

— Pas un mot devant Simon, ordonne Noiraud. Si Dago recommence, on fera semblant de ne pas entendre... Mais je me demande ce qui lui prend !

— Il aboie de cette manière-là quand il est content ou quand il joue, explique Claude. Il a peut-être découvert une souris... Il adore courir après les animaux plus petits que lui... Oh non, il recommence ! Pourvu qu'il attrape vite cette sale bête et qu'on ne l'entende plus !

Simon revient au même instant, mais heureusement, Dago s'est tu. Soudain, ses cris retentissent de nouveau, plus lointains. François ne quitte pas le majordome des yeux. L'homme découpe le rôti : il ne dit rien, mais son regard se promène sur les enfants et scrute chacun de leurs visages.

— Ces friands étaient délicieux, dit François d'un ton léger.

— Et ces fondants au chocolat que nous avons mangés l'autre jour ! renchérit Annie. Je n'en avais encore jamais goûté d'aussi bons.

121

— Ouah, ouah ! fait à ce moment la voix de Dago.

— De toute façon, personne ne fait mieux les tartes que tante Cécile, se hâte d'observer Mick.

Et il poursuit, le cœur battant :

— Je me demande comment vont tes parents, Claude. Tu crois que les réparations ont commencé à Kernach ?

— Ouah ! lance joyeusement Dagobert, qui semble prendre un plaisir extrême à pourchasser sa souris.

Simon achève de servir les légumes qui accompagnent le rôti, puis il sort sans dire un mot. François s'empresse d'aller ouvrir la porte pour s'assurer que le majordome s'est réellement éloigné.

— Ouf ! dit-il en revenant s'asseoir. J'espère que Simon est aussi sourd qu'il le prétend ! Quand Dago a recommencé à aboyer, j'ai eu l'impression de voir une lueur d'étonnement dans les yeux.

— Eh bien, s'il a entendu, il a dû être surpris de notre attitude, à nous ! On a continué notre conversation comme si de rien n'était !

Les autres éclatent de rire, et ils poursuivent gaiement leur repas, tout en guettant le retour de Simon. Au bout d'un moment, un bruit de pas retentit dans le couloir et les enfants commencent à empiler leurs assiettes, pour que le majordome puisse les emporter. La porte s'ouvre, mais c'est M. Lenoir qui fait son entrée ! Il s'avance, le sourire aux lèvres, selon son habitude, et dévisage les enfants étonnés.

— Eh bien, vous avez bon appétit, à ce que je vois, et vous êtes sages comme des images, dit-il avec cette manière agaçante qu'ont les grandes personnes de s'adresser aux enfants comme à des bébés. Simon s'occupe bien de vous ?

— Tout va très bien, monsieur Lenoir ! répond François. On s'amuse beaucoup et on se régale à tous les repas !

— Alors, tant mieux ! dit M. Lenoir.

Après cet échange de paroles, les enfants attendent avec impatience le départ de leur visiteur. Ils redoutent tellement que Dago ne fasse encore des siennes. Mais M. Lenoir ne paraît pas pressé de s'en aller.

Et, tout à coup, on entend la voix de Dago !

Les inquiétudes de Claude

M. Lenoir baisse brusquement la tête comme pour se protéger d'un ennemi inconnu. Il tend l'oreille, puis regarde les enfants. Mais ceux-ci feignent de n'avoir rien entendu.

M. Lenoir écoute encore un instant sans mot dire. Enfin, remarquant un carnet de croquis qui appartient à François, il se met à le feuilleter.

Les enfants ont l'impression qu'il cherche un prétexte pour rester dans la pièce un peu plus longtemps. Et François ne peut s'empêcher de penser que M. Lenoir a été averti, d'une manière ou d'une autre, qu'il se passe quelque chose, et a tenu à venir vérifier par lui-même. Cela expliquerait cette visite imprévue car c'est bien la première fois que le père de Noiraud vient voir les enfants pendant leur repas...

Soudain, Dago se remet à aboyer, de beaucoup plus loin cette fois. Le sourcil gauche de M. Lenoir se fronce et Mariette jette un coup d'œil effrayé à son frère. C'est un signe qui ne laisse rien présager de bon !

— Vous avez entendu ? demande M. Lenoir.

— Quoi, monsieur ? répond poliment François.

De nouveau la voix de Dagobert retentit.

— Ça ! s'exclame M. Lenoir. Ce bruit qui recommence !

Mais au même instant, une mouette passe devant la fenêtre.

— Vous voulez parler de cette mouette, monsieur ? Bien sûr qu'on l'entend ! s'écrie Mick avec entrain. Il y en a des centaines par ici, et quand elles crient, on dirait des chats qui miaulent.

— Vraiment ? rétorque M. Lenoir, rageur. Et tu vas sans doute me dire aussi qu'un cri de mouette ressemble à l'aboiement d'un chien !

Mick prend un air surpris.

— Pourquoi pas ? reprend-il avec innocence. Après tout, si elles miaulent comme des chats, il n'y a pas de raison pour qu'elles n'aboient pas aussi comme des chiens...

La voix de Dago ponctue soudain ces mots avec une énergie joyeuse. M. Lenoir sursaute.

— Vous allez me dire ce que signifient ces bruits ? s'énerve-t-il, en regardant les enfants fixement.

Ils penchent la tête à droite, puis à gauche, feignant d'écouter avec la plus vive attention. Enfin, Mick déclare :

— Je ne vois pas de quoi vous voulez parler, monsieur.

— Moi, j'entends le bruit du vent, ajoute Annie.

— Et moi, le cri des mouettes, renchérit François, mettant la main en cornet à son oreille.

— Il y a une porte qui claque, au rez-de-chaussée. C'est de ça que tu veux parler, papa ? questionne Noiraud, l'air tourmenté.

M. Lenoir jette à son fils un regard sévère.

— Je crois que la fenêtre de la salle de bains n'est pas fermée. Je l'entends cogner, s'écrie Mariette, qui ne veut pas être en reste malgré la crainte qu'elle a des violentes colères de son père.

— Je vous dis que c'est un chien, et vous le savez aussi bien que moi !

Les deux sourcils de M. Lenoir sont maintenant froncés.

— Où est cet animal ?

127

— Quel animal, monsieur Lenoir ? commence François, le visage perplexe.

Et il regarde autour de lui.

— Vous voyez bien qu'il n'y en a pas ici.

M. Lenoir se contient à grand-peine : on devine qu'il se retient pour ne pas gifler François.

— Concentrez-vous un peu ! reprend-il d'une voix sifflante. Et expliquez-moi quel animal peut bien aboyer de cette manière si ce n'est un chien !

Les enfants se décident à obéir, car ils sentent que M. Lenoir est sur le point d'exploser. Mais, par miracle, Dagobert s'est tu !

— Monsieur, je suis vraiment désolé, mais je vous assure que je n'entends rien du tout, dit enfin François, prenant un air offensé.

— Moi non plus, assure Mick.

Et les autres renchérissent.

M. Lenoir sait que, cette fois, ils disent la vérité, car lui-même ne perçoit plus aucun bruit.

— Si jamais on met la main sur cet animal, reprend-il, détachant ses syllabes, je le ferai empoisonner. Je ne veux pas de chien chez moi !

Sur ces mots, il fait demi-tour et quitte la pièce, au grand soulagement des enfants. Claude tremble d'indignation. La porte refermée, Mariette pose doucement la main sur son bras pour la calmer.

— Ne dis rien s'il te plaît, tu vas tout gâcher ! murmure-t-elle.

Claude se mord la lèvre. Le rouge de la colère se retire peu à peu de son visage et elle devient d'une pâleur extrême. Soudain, elle frappe du pied.

— Empoisonner un chien ! C'est ignoble ! s'écrie-t-elle avec rage.

— Arrête, Claude ! Simon va revenir d'un instant à l'autre, rappelle François. On va tous faire semblant d'être stupéfaits de la visite de M. Lenoir et de ne rien comprendre à cette histoire de chien. Comme ça, même s'il lit sur nos lèvres, il ne pourra pas savoir la vérité.

François a à peine prononcé ces mots que le majordome entre avec le dessert. Son visage est aussi inexpressif qu'un masque de cire.

— C'est bizarre que M. Lenoir ait cru entendre un chien aboyer ! commence François bravement.

Ses compagnons saisissent la balle au bond et poursuivent la conversation sur un ton très naturel. Si le majordome parvient à suivre les paroles des enfants, il en viendra peut-être à se demander s'il n'a pas eu une hallucination !

Dès la fin du déjeuner, les amis se réunissent dans la chambre de Noiraud.

— Et maintenant, qu'est-ce qu'on va faire de Dago ? demande Claude. M. Lenoir connaît le passage secret ? S'il se met à la recherche de notre chien et qu'il essaie de lui faire du mal, je ne pourrai pas retenir le pauvre Dagobert de dévorer ton père, Noiraud !

— C'est sûr... convient Noiraud.

Il réfléchit quelques instants.

— En fait, je ne sais pas trop si mon père s'est renseigné sur les mystères de la maison. Il est sans doute au courant qu'il y a des passages et des escaliers secrets, mais ça m'étonnerait beaucoup qu'il ait découvert les issues. Même moi, je les ai trouvées complètement par hasard.

— Eh bien, moi, je rentre à Kernach, annonce brusquement Claude. Je ne veux pas risquer que Dago se fasse empoisonner !

— Claude, tu sais bien que tu ne peux partir d'ici toute seule, fait remarquer Mick. Ça paraîtrait bizarre. Si tu veux t'en aller, on devra en faire autant et on ne pourra pas éclaircir le mystère de la tour...

— Oh ! S'il vous plaît, ne nous laissez pas ici tout seuls, s'écrie Noiraud, l'air désolé. Papa se mettrait dans une colère terrible !

Claude hésite. Elle ne tient pas à compliquer la situation de Noiraud et de Mariette, qu'elle aime beaucoup. Mais, d'un autre côté, elle n'a aucune intention de sacrifier Dagobert.

— J'ai bien envie de téléphoner à la maison, dit-elle. Je dirai à papa que maman me manque et que je voudrais rentrer. C'est la vérité en plus... Rien ne vous empêchera de rester ici et de continuer les recherches... Vous comprenez bien que je ne puisse pas rester ici en sachant que Dago risque de mourir !

Les autres n'avaient pas pensé à cela... François soupire : il sait que Claude a raison et que de toute façon personne ne pourra plus la faire changer d'avis.

— C'est bon, dit-il à sa cousine. Téléphone à Kernach... Mais vas-y tout de suite. L'appareil est en bas, dans l'entrée : à cette heure-ci, il n'y aura certainement personne.

Claude se dépêche de descendre au rez-de-chaussée. Tout est désert : elle compose aussitôt le numéro des *Mouettes*, tout en préparant dans sa tête ce qu'elle va dire à son père. Que va-t-elle raconter au sujet de la disparition de Dagobert ? Le mieux serait encore d'éviter la question... L'essentiel est de quitter *Le Pic du Corsaire* au plus vite !

131

Au bout de la ligne, les sonneries se répètent mais personne ne répond.

Déçue, Claude finit par raccrocher. Ses parents sont sans doute sortis... Elle rappellera plus tard.

Comme elle repose le combiné, découragée, Mme Lenoir apparaît dans le hall d'entrée.

— Tu voulais téléphoner chez toi ? dit-elle. Tu n'as pas de nouvelles de tes parents ?

— Non, toujours pas... confirme Claude. Et personne ne répond à la maison.

— Ne t'inquiète pas, dit Mme Lenoir de sa voix douce, on a reçu une lettre de ta mère ce matin, et elle nous dit que la maison est vraiment inhabitable pendant les travaux. Les ouvriers font un bruit infernal qui empêche ton père de travailler. Alors tes parents ont décidé de quitter les lieux environ une semaine. Ils doivent nous téléphoner pour nous dire s'ils décident de venir vous rejoindre ici. Ils appelleront sûrement bientôt.

— C'est donc ça ! dit Claude.

Elle est tout de même étonnée que ses parents ne lui aient pas écrit à elle aussi.

— Ta mère disait aussi qu'elle venait de t'envoyer une lettre, reprend Mme Lenoir, semblant deviner le désarroi de la fillette. Tu la recevras sûrement bientôt : la poste est parfois capricieuse ici. Si tes parents peuvent venir au *Pic du Corsaire*, nous serons ravis de les recevoir. Mon mari a très envie de faire la connaissance de ton père. Il l'admire beaucoup.

Claude est tellement émue qu'elle ne peut prononcer une parole et elle part rejoindre ses amis. Quand elle pousse la porte de la chambre Noiraud, les enfants comprennent sur-le-champ qu'elle apporte des nouvelles importantes.

— Je ne peux pas rentrer à Kernach, annonce-t-elle. Papa et maman trouvent que les travaux font trop de bruit et ils ont quitté la maison !

— Pas de chance... dit Noiraud. Remarque, je suis content que vous restiez ici, Dagobert et toi. Vous m'auriez manqué tous les deux.

— Tes parents ont invité les miens à venir ici, poursuit Claude. C'est quand même le comble ! Ils vont sûrement me poser des tas de questions à propos de Dagobert, et je ne vais pas savoir quoi leur répondre. Qu'est-ce que je vais faire !

— Ne t'inquiète pas, dit Noiraud. Je crois que j'ai une idée : si je demandais à l'un des voisins de s'occuper de Dago ? Qu'est-ce que tu en penses ?

— Ce serait génial ! s'écrie Claude, déjà rayonnante. Allons vite trouver quelqu'un !

Mais les enfants n'ont finalement pas l'occasion de sortir ce jour-là, car Mme Lenoir leur propose de rester jouer aux cartes avec elle.

« Bah ! Ça n'a pas d'importance, se dit Claude. Ce soir, Dago sera en sécurité dans ma chambre. On verra demain ! »

C'est la première fois que Mme Lenoir invite les enfants à passer l'après-midi avec elle.

— Mon mari est parti pour le reste de la journée, explique-t-elle. Il avait une affaire importante à régler. Il a pris la voiture juste après le déjeuner...

François se demande un instant s'il n'y a pas un lien entre le voyage de M. Lenoir et le trafic des contrebandiers... Et s'il cherchait à transporter des marchandises en lieu sûr ? C'est peut-être ça, la véritable raison de son absence !

Soudain, la sonnerie du téléphone fait sursauter tout le monde. Mme Lenoir se lève.

— Ce doit être ton père ou ta mère, dit-elle à Claude. J'espère qu'ils vont m'annoncer qu'ils viennent ici !

Elle passe dans l'entrée. Les enfants attendent anxieusement. M. et Mme Dorsel vont-ils venir séjourner au *Pic du Corsaire* ?

chapitre 12

Une surprise

Mme Lenoir revient au bout d'un instant. Et, regardant Claude, elle lui dit en souriant :

— C'était ton père. Il arrive ici demain, mais il sera tout seul. Ta mère va rester quelques jours chez sa sœur. Ton papa a préféré venir ici pour pouvoir discuter de ses dernières expériences avec mon mari. J'ai hâte de faire sa connaissance.

Les enfants auraient préféré de beaucoup que tante Cécile vienne à la place de l'oncle Henri. Il s'énerve tellement vite quand ils sont là... Cependant, ils se rassurent vite, persuadés que leur oncle sera trop absorbé par ses conversations avec M. Lenoir pour faire attention à eux !

À l'heure du coucher, Claude part chercher Dago dans la chambre de Noiraud, qui doit faire

135

le guet. Simon semble s'être volatilisé, M. Lenoir n'est pas encore rentré au *Pic du Corsaire*, Renée va et vient en fredonnant dans la cuisine.

— Rien à signaler ! constate Noiraud.

Et il revient annoncer à Claude que la voie est libre. Mais au moment où il traverse le long couloir qui mène à sa chambre, il remarque deux petites bosses noires qui soulèvent le bas des rideaux tirés devant la baie vitrée. Surpris, il examine le phénomène quelques instants avant de comprendre ce dont il s'agit. Son visage s'éclaire.

« Tiens, tiens, voici notre ami Simon qui joue les Sherlock Holmes, songe-t-il. À tous les coups, il essaie de nous surprendre avec le chien. Attends un peu, mon bonhomme, tu vas avoir une belle surprise ! »

Et Noiraud court prévenir ses amis de sa découverte. Claude en est bouleversée. Mais Pierre Lenoir a déjà son plan.

— C'est nous qui allons surprendre Simon, dit-il, et je vous assure qu'il s'en souviendra ! Il faut d'abord que je déniche une corde, et puis on ira dans le couloir. Je me mettrai à crier qu'il y a un voleur caché derrière les rideaux et je sauterai sur Simon. Pendant que je lui donnerai quelques coups de poing, François et Mick l'enrouleront dans les rideaux. Puis on fera dégringoler la tringle sur lui et on n'aura plus qu'à le ficeler comme un saucisson !

Les enfants éclatent de rire à l'idée du sacré tour qu'ils vont jouer à Simon. Il ne l'aura pas volé !

— Pendant ce temps, déclare Claude, j'emmènerai Dago. Mais j'espère qu'il ne voudra pas se mêler à la bagarre, il serait capable de mordre Simon à pleines dents !

— Il faudra que tu le tiennes solidement par le collier, et que tu coures le plus vite possible dans ta chambre, conseille Noiraud. Vous êtes prêts ? On y va !

Les enfants se glissent sans bruit dans le couloir. En arrivant à hauteur de la baie vitrée, ils voient les rideaux frémir légèrement : l'espion est aux aguets.

Claude et Dago attendent patiemment dans la chambre de Noiraud. Soudain celui-ci lance un cri strident. À ce signal, une bagarre musclée se déclenche. Noiraud bondit sur Simon et se met à le rouer de coups de poing en hurlant à pleins poumons :

— Au secours ! Au secours, c'est un voleur !

Simon tente de se dégager et de repousser l'adversaire. Mais Noiraud profite de son avantage pour redoubler d'agressivité.

137

François et Mick accourent et les choses se précipitent : une secousse énergique fait tomber les rideaux sur la tête de Simon. La tringle suit, et le majordome, étourdi par le choc, s'effondre sans avoir eu le temps de comprendre ce qui lui arrivait. Il n'a même pas la possibilité de se défendre, tant les trois garçons sont déchaînés. Annie elle-même, surexcitée par les événements, est de la partie. Quant à Mariette, qui n'a quand même pas osé l'imiter, elle se réjouit du spectacle.

Profitant de la confusion, Claude quitte son abri et s'élance avec Dago. Mais celui-ci ne peut résister devant une si belle occasion de s'amuser. Et il se démène de toutes ses forces pour échapper à Claude. Tirant le chien par son collier, la fillette s'entête. Soudain, Dago aperçoit un mollet dodu qui s'agite désespérément dans les plis du rideau. Il bondit. Simon pousse un hurlement de douleur. Dagobert a de bonnes dents et n'hésite pas à pincer très fort la jambe de son adversaire. Mais une claque énergique lui fait lâcher prise. Surpris et humilié, le chien suit aussitôt sa maîtresse, la queue basse. C'est la première fois qu'elle doit le corriger.... Elle est très en colère... Dès qu'il est entré dans la chambre de Claude, Dagobert se réfugie sous

138

le lit. Là, il pose son museau sur ses pattes et lève vers sa maîtresse des yeux suppliants.

— Oh ! Dago, je n'avais pas d'autre choix que de te mettre cette tape ! s'écrie-t-elle.

Et, s'agenouillant auprès de lui, elle le caresse.

— Tu comprends, tu risquais de tout faire rater ! Si Simon t'avait aperçu, c'était cuit ! Déjà que tu l'as mordu... Je ne sais pas comment on va pouvoir expliquer ça. Allez, couche-toi ! Il faut que j'aille rejoindre les autres.

La queue de Dago bat doucement sur le plancher. Claude court retrouver ses amis. Ceux-ci continuent à s'en donner à cœur joie et le pauvre Simon hurle et se débat avec l'énergie du désespoir. Entortillé tout entier dans les rideaux, il est à la merci de ses adversaires.

Tout à coup, M. Lenoir surgit au pied de l'escalier, suivi de son épouse, l'air apeuré.

— Non mais qu'est-ce qui se passe ici ? s'écrie-t-il. Vous êtes fous ? Qu'est-ce que c'est que ce tapage ?

— Il y avait un cambrioleur, papa ! explique Noiraud, haletant. Mais on a réussi à l'attraper !

M. Lenoir monte les marches quatre à quatre. Stupéfait, il voit la masse informe qui se contorsionne sur le plancher, roulée bien serrée dans

139

les rideaux et maintenue par une grosse corde solidement nouée.

— Un cambrioleur ! s'exclame-t-il. Où ça ?

— Il s'était caché ici, derrière les rideaux du couloir, monsieur, répond François. on s'est jetés sur lui pour l'empêcher de s'enfuir... Je crois que vous pouvez appeler la police !

À ce moment s'élève un cri de lamentation, un peu étouffé par l'épaisseur des rideaux :

— Lâchez-moi. Le chien m'a mordu ! gémit-il.

— Non ! C'est Simon que vous avez mis dans cet état ! s'écrie M. Lenoir, furieux. Délivrez-le ! Tout de suite !

— Mais, papa, ça ne peut pas être lui ! Cette personne était cachée derrière les rideaux ! proteste Noiraud.

— Tu vas m'obéir, oui ? dit M. Lenoir d'un ton sans réplique.

Annie le regarde avec attention : son sourcil gauche a commencé à se crisper !

À regret, les garçons dénouent la corde. Simon écarte le rideau d'un geste rageur et son visage paraît, rouge de colère et d'effroi !

— Comment avez-vous osé me faire ça ! hurle-t-il. Regardez ma jambe, monsieur Lenoir ! J'ai été mordu. Et par un chien, en plus ! Vous voyez ?

Des traces de dents sont imprimées sur son mollet, un peu violacées. Dago a mordu très fort...

— Allons Simon, vous savez bien qu'il n'y a pas de chien dans la maison, objecte Mme Lenoir, qui s'est enfin hasardée à monter l'escalier.

— La preuve que si ! rétorque violemment M. Lenoir, en désignant les marques de crocs sur la jambe de Simon. Si ce n'est pas un chien, qu'est-ce qui a bien pu le mordre ? Un tigre, peut-être ?

— C'est peut-être moi, dans le feu de l'action ! s'écrie Noiraud, à la grande surprise de ses amis, qui sont très amusés par cette suggestion extravagante.

Mais leur camarade parle avec le plus grand sérieux, et son visage tourmenté exprime l'inquiétude.

— Quand je me mets en colère, continue-t-il, je ne sais plus ce que je fais... Papa, tu crois que j'aurais pu mordre Simon sans m'en apercevoir ?

— N'essaie pas de te payer ma tête ! dit M. Lenoir, quelque peu désorienté. Allons, Simon, relevez-vous : vous n'êtes pas mort, quand même !

— Maintenant que j'y pense, il me semble

que mes dents ne sont pas comme d'habitude, dit encore Noiraud, ouvrant puis refermant la bouche avec précaution comme pour s'assurer que sa mâchoire fonctionne normalement. Je vais aller les brosser, c'est plus sûr. J'ai encore le goût du mollet de Simon dans la bouche et c'est loin d'être agréable.

Indigné par l'insolence de son fils, M. Lenoir tend le bras pour l'attraper. Mais Noiraud se baisse et s'enfuit dans le couloir.

— Je reviens tout de suite, le temps de me laver les dents ! s'écrie-t-il.

Les autres enfants ont du mal à garder leur sérieux. L'idée de Noiraud est absurde, mais il n'en reste pas moins que M. et Mme Lenoir ne savent toujours pas qui a mordu Simon !

— Et maintenant, vous autres, allez vous coucher ! ordonne M. Lenoir. J'espère que je ne serai pas obligé de me plaindre de vous à votre père... ou à votre oncle... Je suis très fâché de votre conduite. Vous n'aviez pas le droit de traiter mon majordome comme ça ! S'il démissionne, ce sera votre faute.

Les enfants ne demanderaient pas mieux que de voir Simon quitter la maison. Ce serait bon débarras ! De toute évidence, le majordome était sur la piste de Dago... et maintenant, il va chercher à se venger par tous les moyens !

142

Le lendemain matin, pourtant, Simon est à son poste. Quand les enfants entrent dans la cuisine il termine de discuter avec Renée du menu des repas de la journée. Sa physionomie n'exprime rien de plus qu'à l'habitude, mais, en quittant la pièce, il passe près de Noiraud, et lui lance un regard haineux.

— Méfiez-vous, tous les six... dit-il d'une voix sourde. Un de ces jours, vous aurez une mauvaise surprise. Et votre chien aussi ! Parce qu'il ne faut pas vous faire d'illusions : je *sais* que vous avez un chien. Ce n'est pas à moi qu'on raconte des histoires !

Personne ne bronche, mais les enfants échangent des regards. Puis Noiraud, l'air insouciant, se met à tambouriner gaiement sur la table avec sa cuillère.

— Des menaces maintenant ! dit-il. En tout cas, mon cher Simon, méfiez-vous aussi. Si vous espionnez encore, vous vous retrouverez ficelé comme un saucisson en moins de temps qu'il ne faut pour le dire. Et je n'hésiterai pas à vous donner un second coup de dents. D'ailleurs, j'ai justement très envie de mordre quelqu'un ce matin !

Il montre les dents à Simon qui, semblant

143

n'avoir rien entendu de ce que le garçon vient de lui dire, sort et referme la porte sans bruit.

Claude est inquiète. Elle a peur de Simon. L'expression de son regard lui inspire une méfiance instinctive. Elle ne rêve que d'une chose : quitter *Le Pic du Corsaire* au plus vite en emmenant Dago !

Mais ce matin, une fâcheuse surprise l'attend. Comme elle s'apprête à rejoindre les garçons en compagnie de Mariette et d'Annie, Noiraud accourt.

— Claude, s'écrie-t-il, devine ce qui se passe : on va installer ton père dans ma chambre ! Je dois partager celle de Mick et de François ! Simon et Renée sont déjà en train de tout déménager ! Pourvu qu'on ait le temps de faire sortir Dago du passage secret avant l'arrivée de ton père !

— Il ne manquait plus que ça, gémit Claude, bouleversée. J'y vais tout de suite !

Elle fait semblant de se diriger vers la chambre de Mariette, voisine de celle de Noiraud. Malheureusement, Simon est occupé à superviser le ménage, et il ne quitte pas l'étage de toute la matinée. Claude se fait un sang d'encre pour Dago : il doit sûrement s'impatienter et regretter sa promenade habituelle... De plus en plus anxieuse, elle fait les cent pas dans

144

le couloir, croisant sans cesse Renée, qui va et vient d'une chambre à l'autre.

Simon paraît très intrigué par le manège de Claude. Il fait mine de boiter pour bien montrer qu'il souffre encore de sa morsure. Enfin, Claude le voit sortir de la chambre de Noiraud. Elle s'élance, mais n'a que le temps de se précipiter chez Mariette : déjà le majordome revient. Quelques minutes plus tard, elle renouvelle sa tentative : cette fois, l'absence de Simon est encore plus brève et la fillette ne peut pas s'esquiver.

— Qu'est-ce que tu fais ici ? demande Simon rudement. Je n'ai pas passé toute la matinée à mettre cette pièce en état pour que tu reviennes tout bouleverser dès que j'ai le dos tourné ! Allez, file ! Et que je ne t'y reprenne pas !

Claude obéit, bien décidée à attendre que Simon ait tourné les talons : il ne va pas tarder à descendre pour aider Renée à préparer le déjeuner. Enfin, elle le voit s'éloigner... Vite, elle se précipite à la porte de Noiraud. Mais la serrure est verrouillée et Simon a emporté la clef !

chapitre 13

Pauvre Claude !

Cette fois Claude éprouve un vif sentiment de désespoir. Elle a l'impression de vivre un cauchemar. Elle court à la recherche de Noiraud et le découvre dans la chambre de François.

— Noiraud ! s'écrie-t-elle. Il va falloir que j'aille chercher Dago en passant par l'autre chemin, tu sais, celui qu'on a pris le premier jour pour se rendre directement dans ta chambre.

— Mais c'est impossible, dit-il, l'air étonné. L'entrée est dans le bureau de papa, et, en ce moment, il y passe tout son temps. Il est en train de ranger et de classer tous les papiers qu'il a l'intention de montrer à ton père ! Si tu le déranges, tu vas passer un sale quart d'heure !

147

— Je m'en moque, il faut que je passe par là à tout prix. Je ne peux pas laisser Dago mourir de faim !

— Ne t'inquiète pas pour ça, il y a assez de souris dans cette vieille maison pour le nourrir pendant des mois ! Et un chien comme lui saura toujours se tirer d'affaire.

— Mais il aura soif, reprend Claude, avec obstination. Tu sais bien qu'il n'y a pas d'eau dans ces galeries !

Claude est tellement angoissée qu'elle peut à peine avaler une bouchée au repas. Elle a pris la décision de s'introduire dans le bureau coûte que coûte et d'essayer de retrouver le panneau qui masque l'entrée du passage. Ensuite, elle n'aura plus qu'à se faufiler par l'ouverture. Peu importe le risque qu'elle prend : elle est résolue à délivrer Dagobert.

« Je ne vais rien dire aux autres, décide-t-elle. Ils essaieront de m'empêcher d'agir, ou bien ils voudront le faire à ma place. Dago est mon chien, c'est moi qui le sauverai ! »

Après le déjeuner, les enfants se réunissent dans la chambre des garçons pour discuter de la situation. Au bout de quelques minutes, Claude s'éclipse.

— Je reviens dans un instant, dit-elle d'un air décontracté.

Les autres n'y prêtent pas attention et continuent à chercher un moyen de délivrer Dagobert. En fin de compte, il semble bien que la seule manière soit de passer par le bureau.

— Malheureusement, je crois que papa ferme la porte à clef en sortant depuis qu'il sait que M. Dorsel va venir. Il doit avoir peur qu'on lui vole ses chers papiers...

Comme l'absence de Claude se prolonge, Annie s'inquiète :

— Où est-ce qu'elle est ? Ça fait au moins vingt minutes qu'elle est partie...

— Elle a dû retourner voir si mon ancienne chambre ne serait pas ouverte, déclare Noiraud. Je vais aller faire un tour par là.

Mais Claude n'est pas là-haut. Noiraud visite la chambre de Mariette, puis revient jeter un coup d'œil dans celle qu'Annie partage avec sa cousine : les deux pièces sont vides. Il explore ensuite escaliers et couloirs, descend au rez-de-chaussée, mais en vain : Claude est introuvable.

Noiraud rejoint ses camarades, l'air soucieux.

— Je n'ai pas trouvé Claude, dit-il. Pourtant, j'ai cherché partout.

Ces paroles plongent Annie dans une vive inquiétude : il se passe des choses tellement étranges au *Pic du Corsaire*...

— Et si elle était allée dans le bureau de

M. Lenoir ? dit François tout à coup. Ça lui ressemblerait bien d'aller se jeter dans la gueule du loup : elle n'a jamais peur de rien.

— Mais bien sûr ! s'exclame Noiraud. C'est sûrement ça ! Attendez-moi ici, je vais voir !

Il descend au rez-de-chaussée et s'approche de la porte avec précaution. Puis il tend l'oreille : on n'entend pas le moindre bruit à l'intérieur de la pièce.

Noiraud hésite. Que faire ? Jeter un simple coup d'œil dans le bureau ou frapper avant d'entrer ? Il opte pour la deuxième solution : si son père répond, il aura le temps de se précipiter dans l'escalier et de remonter au premier étage avant que la porte ne s'ouvre, et M. Lenoir ne saura pas à qui s'en prendre.

Noiraud frappe deux coups décidés.

— Qui est là ? répond aussitôt une voix irritée. On ne peut pas être tranquille deux minutes dans cette maison. Entrez !

Mais Noiraud a déjà pris la fuite. Il retourne vers ses camarades en courant.

— Claude ne peut pas être dans le bureau, déclare-t-il. Papa y est, et il a l'air plutôt de mauvaise humeur.

— Alors, où est-ce qu'elle a bien pu passer ? s'écrie François, sérieusement inquiet cette fois. Elle n'aurait pas dû disparaître sans nous prévenir... En tout cas, elle ne peut pas être très loin, elle ne serait jamais partie sans Dagobert !

Les enfants explorent la maison de fond en comble. Ils descendent même à la cuisine, où ils tombent sur Simon.

— Qu'est-ce que vous voulez ? lance-t-il. Ce n'est pas la peine de me demander quoi que ce soit, vous n'aurez rien !

— Rassurez-vous, ça ne nous viendrait même pas à l'esprit, riposte Noiraud. Au fait, comment va votre morsure ?

Simon jette sur les enfants un regard tellement inquiétant qu'ils s'empressent de battre en retraite. Puis Noiraud, laissant ses compagnons faire le guet, monte visiter les chambres du personnel. Il tient à s'assurer que Claude n'est pas allée s'y réfugier. L'idée paraît peut-être absurde, mais il ne faut rien négliger. Et puis Claude se trouve forcément quelque part !

Comme il pouvait s'y attendre, Noiraud revient bredouille. Dépités, les enfants regagnent la chambre des garçons.

— Ah ! Maudite maison ! dit François. Excuse-moi, Noiraud, mais c'est plus fort que moi, l'atmosphère est trop étrange !

Pierre Lenoir ne se vexe pas plus que cela des paroles de François.

— Je suis assez d'accord avec toi, déclare-

151

t-il. Je ne m'y suis jamais senti très à l'aise. Et je sais que maman et Mariette pensent comme moi. Papa est le seul à être bien ici.

— Enfin ça ne nous dit pas où est Claude... soupire Annie. Je ne pense pas qu'elle soit allée dans le bureau de M. Lenoir. Elle a beau avoir de l'audace, elle n'aurait quand même pas osé entrer alors que ton père travaillait dans la pièce.

Mais Annie se trompe : au même instant, Claude se trouve justement dans le bureau de M. Lenoir !

Quand elle a quitté ses amis tout à l'heure, elle était fermement décidée à emprunter le passage secret et elle s'est risquée jusqu'à la porte du bureau mais l'a trouvée fermée à clef.

— Zut ! a dit Claude entre ses dents. Décidément tout se ligue contre Dago et moi. Qu'est-ce que je vais faire ? Il faut que j'entre, et j'y arriverai, coûte que coûte !

Tout à coup, elle a entendu la voix de M. Lenoir qui s'approchait.

Vite, la fillette a couru vers un grand coffre qui se trouvait non loin de là et a grimpé dedans. Puis elle a rabattu le couvercle et a attendu, recroquevillée sur elle-même, le cœur battant.

Bientôt, M. Lenoir a traversé l'entrée, se dirigeant vers son cabinet de travail.

— Je vais finir de classer les documents que je compte montrer demain à M. Dorsel, a-t-il lancé à sa femme. Surtout, qu'on ne me dérange pas !

Claude a alors entendu une clef tourner dans la serrure. Puis la porte s'est ouverte et a claqué aussitôt.

La fillette s'est mise à réfléchir. Plus que jamais, elle était résolue à entrer dans la pièce interdite : c'était là que se trouvait la seule issue par laquelle elle pourrait encore délivrer Dago. Mais ensuite, que ferait-elle de lui ? Elle a alors entendu M. Lenoir tousser puis remuer des papiers. Un placard s'est ouvert puis s'est refermé. Soudain une exclamation d'impatience a retenti et elle a pu distinguer ces quelques mots :

— Allons bon ! Où ai-je bien pu mettre ce dossier ?

Au même instant, M. Lenoir est sorti en trombe, et Claude, qui soulevait légèrement le couvercle de sa cachette afin de respirer plus à l'aise, a eu tout juste le temps de le rabattre sur sa tête. Elle s'est blottie au fond du coffre, tremblante, tandis que M. Lenoir frôlait le meuble au passage.

153

Alors, Claude a compris qu'une occasion inespérée s'offrait à elle : elle allait pouvoir essayer d'ouvrir la trappe donnant accès au passage ! Elle a bondi hors de son abri, s'est précipitée dans le bureau et a couru à l'endroit où elle avait vu Noiraud presser la boiserie.

Mais elle avait à peine effleuré le panneau de chêne des doigts quand elle a entendu des pas. Déjà M. Lenoir revenait !

Prise de panique, Claude a cherché des yeux un refuge. Apercevant un grand fauteuil de cuir dans l'un des angles de la pièce, elle s'est abritée derrière. Au même instant, M. Lenoir est entré. Il s'est assis à son bureau, a allumé sa lampe de travail et s'est penché sur ses documents.

Claude ose à peine respirer. Elle sent son cœur cogner à grands coups contre ses côtes. Accroupie sur le sol, derrière le fauteuil, sa posture n'a rien de confortable, mais elle n'ose faire le moindre geste.

« Qu'est-ce qu'il va m'arriver maintenant ? se dit-elle. Je ne vais pas pouvoir rester là pendant des heures ! Et puis, qu'est-ce que les autres vont penser ? Ils doivent commencer à s'inquiéter et me chercher partout. »

Claude a raison : au même instant, Noiraud est en train de rôder devant la porte du bureau, se demandant s'il doit frapper ou bien entrer sans prévenir. Quand il se décide à frapper, la fillette manque de crier de surprise, tandis que M. Lenoir relève la tête et répond d'un ton impatient.

Il n'y a pas de réponse. Personne n'entre.

Le silence se prolongeant, le père de Noiraud se dirige vers la porte à grands pas et l'ouvre violemment. Il n'y a personne !

— Je parie que c'est encore l'un de ces garnements, bougonne M. Lenoir. Ils vont me rendre fou... En tout cas, s'ils recommencent ce genre de plaisanterie, ils seront privés de dessert pendant deux jours avec interdiction de quitter leurs chambres !

En entendant cette voix irritée, Claude se fait encore plus petite. Et elle songe à ce que serait la fureur de M. Lenoir s'il soupçonnait sa présence. Ah ! Qu'est-ce qu'elle aimerait être loin de cette maudite maison !

Au moment où Annie essaie de convaincre ses amis que Claude ne se trouve pas dans le bureau de M. Lenoir, la fillette y est déjà depuis plus d'un demi-heure.

La pauvre commence à sentir ses membres s'engourdir. Soudain, M. Lenoir bâille, et elle reprend courage. Quelle chance ce serait s'il pouvait s'assoupir !

M. Lenoir bâille encore, puis il repousse ses papiers et se lève. Il range quelques objets sur sa table, prend une revue et va s'asseoir dans le fauteuil derrière lequel Claude est cachée.

Les ressorts du siège grincent. Claude retient son souffle, tremblant que le bruit de sa respiration n'alerte M. Lenoir. Mais bientôt, elle entend un léger ronflement, suivi quelques instants plus tard d'un autre, plus sonore. M. Lenoir s'est endormi ! Prudente, Claude attend que le rythme des ronflements soit devenu parfaitement régulier, puis elle bouge un peu, et, sans se relever, avec des précautions infinies, contourne le fauteuil. M. Lenoir dort toujours.

Enfin, la fillette se redresse et, sur la pointe des pieds, se dirige vers l'issue secrète. Du bout des doigts, elle commence à appuyer sur les moulures de la boiserie, cherchant le ressort qui fera coulisser le panneau.

Mais aucun déclic ne se produit. Le temps passe. Claude poursuit ses investigations, le visage crispé. Elle se retourne un instant pour jeter un regard inquiet vers M. Lenoir, puis elle se remet à sa tâche. Comment se déclenche donc le mécanisme de cette trappe ?

156

Tout à coup une voix sévère retentit derrière elle :

— Est-ce que je peux savoir ce que tu fais ici, espèce de garnement ? Comment as-tu osé entrer dans mon bureau ?

Terrifiée, Claude fait volte-face et se trouve nez à nez avec M. Lenoir, qui s'est avancé sans bruit. Elle ne sait que répondre, tant M. Lenoir semble irrité.

Dans un mouvement désespéré, la fillette bondit vers la porte, mais le père de Noiraud est plus rapide qu'elle, et, la saisissant par le bras, il la secoue sans ménagements.

— Alors comme ça, mon garçon, c'est toi qui te permets de me jouer des tours ! Tu trouves ça malin ? Tu viens frapper à ma porte, et puis tu te sauves comme un voleur ! Je vais t'apprendre à te moquer des gens, moi !

Il ouvre la porte et, voyant Simon passer dans le couloir, lui fait signe d'entrer. Celui-ci approche, l'air indifférent comme d'habitude. Rapidement, M. Lenoir griffonne quelques mots sur une feuille de papier, puis les lui donne à lire. L'autre incline la tête pour montrer qu'il a compris. Alors M. Lenoir se tourne vers Claude.

— J'ai ordonné à Simon de t'enfermer dans ta chambre ! dit-il avec colère. Mais, si tu

157

recommences tes bêtises, je te préviens que tu seras encore plus sévèrement puni !

— Ça m'étonnerait que mon père soit très content d'apprendre la manière dont vous comptez me corriger, s'écrie Claude, d'une voix tremblante d'indignation.

Mais M. Lenoir hausse les épaules. Et il continue :

— C'est ce que nous verrons ! Attends un peu que ton père sache comment tu te comportes, et je suis certain qu'il sera du même avis que moi. Et maintenant, file ! Rappelle-toi que je t'interdis de quitter ta chambre jusqu'à demain. Ne t'en fais pas : quand ton père arrivera, je lui expliquerai tout.

La mort dans l'âme, Claude doit suivre Simon, à l'évidence ravi de sa mission. Mais en arrivant devant la porte de sa chambre, elle se met à hurler, afin d'alerter ses amis :

— Mick ! François ! Au secours ! Vite, au secours !

chapitre 14

Une énigme

À l'appel de Claude, ses amis se précipitent dans le couloir, juste à temps pour voir Simon la pousser brutalement dans sa chambre et refermer la porte à clef.

— Eh oh ! Qu'est-ce que vous faites ? s'écrie François, indigné.

Le majordome tourne les talons sans rien dire. Mais François se jette sur lui et, le saisissant par le bras, lui hurle dans l'oreille :

— Ouvrez cette porte, immédiatement ! Vous m'entendez ?

Le visage de l'homme reste impassible. François resserre sa prise, furieux.

— M. Lenoir m'a ordonné de punir cette enfant, dit Simon, en posant sur le garçon son regard le plus sombre.

159

— N'empêche que vous allez m'ouvrir cette porte, et tout de suite ! ordonne François.

D'un geste vif, le garçon tente d'arracher la clef que Simon tient encore à la main. Mais l'homme lève le bras et lui met un coup brutal à l'épaule qui le rejette à l'autre bout du palier. Et, profitant de la stupeur des enfants, il dégringole l'escalier quatre à quatre.

François le suit des yeux, stupéfait.

— Quelle brute ! s'exclame-t-il.

Puis, revenant à la porte de sa cousine, il appelle :

— Claude ! Claude ! Qu'est-ce qu'il s'est passé ?

Bouleversée, la prisonnière raconte son aventure à ses amis. Ceux-ci l'écoutent en silence.

— Ma pauvre Claude, s'écrie Mick, quand le récit est terminé. Tu n'as vraiment pas eu de chance : te faire surprendre alors que tu étais si près du but !

— Je suis désolé, déclare Noiraud, consterné. Papa s'emporte tellement vite... Il ne t'aurait jamais punie comme ça s'il avait su que tu étais une fille. Mais il s'obstine à te prendre pour un garçon !

— Si tu savais comme ça m'est égal ! répond Claude, parlant toujours à travers la porte fermée. Je me moque éperdument de tout ce qu'on peut bien me faire. C'est Dago qui m'inquiète. Et maintenant, je ne vais rien pouvoir faire jusqu'à demain ! Mais vous pouvez dire à Simon que je ne toucherai à rien de ce qu'il m'apportera. Voir sa tête suffira à me couper l'appétit !

— Et moi, où est-ce que je vais dormir ce soir ? se lamente Annie. Toutes mes affaires sont dans ta chambre !

— Tu viendras dormir avec moi, propose la petite Mariette, qui semble encore terrifiée. Je te prêterai une chemise de nuit... Mais Claude, que va dire ton père en arrivant ? J'espère qu'il demandera à mon père de te libérer !

— Je suis bien sûre que non, déclare la prisonnière. Il pensera que j'ai encore fait des bêtises et il sera probablement bien content qu'on m'ait punie. Si seulement maman pouvait venir aussi !

Les enfants se désolent en songeant aux malheurs de Claude et au réel danger que court Dagobert. Tout va de mal en pis. À l'heure du goûter, ils descendent mollement à la salle à manger. Mais même la vue du superbe gâteau au chocolat qui les attend ne suffit pas à les dérider..

Après le départ de ses amis, Claude se sent très seule. Il est seize heures, elle a faim, et elle n'arrête pas de penser à Dago. Alors, elle se met à rêver d'évasion, et, s'approchant de la fenêtre, elle regarde au-dehors.

Sa chambre surplombe un précipice : comme celle de Noiraud, elle donne sur le flanc de la colline. Plus bas, les remparts s'accrochent à la pente vertigineuse du rocher. Claude comprend que, de ce côté, toute évasion est impossible. Si elle essaie de sauter sur le chemin de ronde, elle risque de ne pas réussir à reprendre pied sur sa surface inégale. Et elle frissonne en songeant à la terrible chute qu'elle ferait alors sur l'éboulis de pierres qui descend jusqu'au marais.

Soudain, une idée lumineuse lui traverse l'esprit : si elle prenait l'échelle de corde dont ses amis et elle se servent tous les matins pour descendre dans le souterrain ! Depuis la fois où quelqu'un a essayé d'entrer dans la chambre de Mariette pour les surprendre avec Dagobert, les enfants ont pris la précaution de garder la corde chez Claude et Annie.

Les mains tremblantes, elle sort le précieux objet de sa cachette, et, d'un regard anxieux, mesure la distance qui la sépare du chemin de ronde. C'est alors qu'elle s'aperçoit qu'il y a une autre fenêtre en dessous de celle de sa chambre. C'est celle de la cuisine.

« Aïe ! se dit-elle, si je descends par là, Simon me verra sûrement ! Il va falloir que j'attende la nuit. »

Quand ses camarades reviennent, Claude les met au courant de son projet, en parlant à voix basse par le trou de la serrure.

— Quand je serai sur le mur de ronde, leur dit-elle, je le suivrai un moment avant de sauter dans la rue. Comme ça, personne ne pourra me voir. Et puis, je reviendrai ici. Vous n'aurez qu'à laisser la porte de la maison entrouverte pour que je puisse me faufiler dans l'entrée. Je monterai vous rejoindre dans votre chambre. Essayez de me trouver quelque chose à manger. J'attendrai que tout le monde soit couché pour redescendre dans le bureau et ouvrir la trappe du passage secret. Noiraud pourra venir m'aider, et on délivrera enfin Dago.

— D'accord, dit Noiraud sans hésiter. Mais il ne faut pas sortir avant la nuit ; je sais qu'il n'y a rien à craindre du côté de Simon, il vient d'aller se coucher avec un gros mal de crâne, mais Renée sera sûrement dans la cuisine, et elle aurait une sacrée frayeur si elle te voyait passer devant la fenêtre !

La nuit tombe vite en cette saison. Bientôt, Claude ouvre sa fenêtre, fait glisser avec pré-

163

caution l'échelle de corde, après en avoir solidement fixé l'extrémité au pied de son lit. Puis elle enjambe le rebord et descend le long du mur, sans bruit.

Par bonheur, les volets sont déjà fermés dans la cuisine, et Claude passe sans problème devant la fenêtre. Quelques instants plus tard, elle est debout sur le chemin de ronde.

« Ouf ! se dit-elle. Mais le plus dur reste à faire ! »

Claude commence donc sa promenade sur les remparts. À certains endroits, les dalles à demi effondrées ou brisées s'ébranlent et menacent de céder sous ses pas. Heureusement, elle a pris sa lampe de poche et peut voir où elle pose ses pieds.

Les remparts contournent d'abord des écuries et des vieilles boutiques puis un groupe de maisons accrochées à la pente. Claude n'a qu'à baisser les yeux pour plonger à l'intérieur de ces habitations aux fenêtres faiblement éclairées, car la plupart des volets ne sont pas encore fermés. C'est une sensation étrange que d'avancer ainsi, presque à la hauteur des toits, et de tout voir sans être vue.

Là, ce sont les visages heureux d'une famille réunie autour de la table du dîner. Plus loin, un vieil homme solitaire lit son journal. Ailleurs, une femme dessine ; installé devant un poste de télévision, son mari, à côté d'elle, semble passionné par un film policier. Claude passe, silencieuse, à quelques pas de ces gens paisibles. Personne ne l'entend. Personne ne la voit.

Elle atteint ensuite une maison plus imposante, qui semble construite sur les remparts. À cet endroit le rocher descend à pic sur les marais.

Il n'y a qu'une seule fenêtre éclairée. En passant, Claude jette un coup d'œil rapide. Puis elle s'arrête, pétrifiée. Cet homme, dans la pièce où plonge son regard... ce ne serait pas Simon ? Bien qu'il lui tourne le dos, elle serait prête à en mettre sa main au feu : ce sont bien ses oreilles, son cou massif et ses épaules !

À qui parle-t-il ? Claude s'efforce de mieux voir et, soudain, elle reconnaît le visage de l'interlocuteur. C'est M. Vadec, le contrebandier !

« Mais enfin, songe Claude, Simon est sourd, ce qui n'a pas l'air d'être le cas de l'homme que je vois ici ! »

En effet, l'inconnu semble écouter avec une extrême attention ce que lui dit M. Vadec. Puis il parle à son tour. Claude ne peut évidemment comprendre un traître mot de la conversation.

« Je ne devrais pas espionner les gens comme

ça, se dit la fillette. C'est très mal, je le sais, mais il y a quelque chose de louche dans cette affaire... Si seulement l'homme qui parle avec M. Vadec pouvait regarder de mon côté ! Je saurais tout de suite s'il s'agit de Simon. »

Le souhait de Claude ne se réalise malheureusement pas : l'homme continue à tourner le dos. Et M. Vadec reprend la parole. Il a l'air très agité. De son côté, le personnage qui ressemble à Simon hoche régulièrement la tête : il n'a pas l'air de perdre un mot de ce que dit l'autre.

Claude est de plus en plus perplexe. Que pourrait bien faire Simon dans cette maison, à discuter avec M. Vadec ? Et surtout, comment est-il possible que sa surdité ait disparu comme par enchantement ?

Sans attendre davantage, Claude se laisse glisser au pied du rempart et se retrouve dans une ruelle étroite. À toute vitesse, elle se dirige vers *Le Pic du Corsaire*. Noiraud l'attend, dissimulé dans l'ombre de la porte de la maison. Claude s'apprête à passer près de lui sans le voir, alors il lui pose la main sur le bras. La fillette, surprise, retient un cri d'effroi.

— Viens vite, murmure-t-il. On va passer par-derrière, c'est plus sûr.

Les deux enfants se faufilent par une porte

de service. Puis ils traversent le rez-de-chaussée sur la pointe des pieds, et rejoignent l'escalier qui monte à la chambre de François.
Quand la porte s'ouvre, Claude écarquille les
yeux en découvrant le festin que ses amis lui
ont préparé.

— Je suis allé dévaliser la cuisine, explique
Noiraud avec satisfaction. Renée s'est rendue à
la poste. Quant à Simon, il est toujours au lit
avec la migraine. Alors, tu penses si...

— Ce n'est donc pas lui que j'ai vu tout à
l'heure ? coupe Claude vivement. Et pourtant,
j'étais sûre de ce que je voyais...

— Qu'est-ce que tu veux dire ? questionnent
les autres enfants, interloqués.

Mais avant de s'expliquer davantage, Claude
s'assied sur le tapis et commence par engloutir
deux tartelettes suivies d'une tranche de pain
d'épice. Elle a une faim de loup ! Enfin, elle
se met à raconter son périple : l'évasion par la
fenêtre, puis la promenade sur les remparts.

— Et tout à coup, par une fenêtre, devinez
qui je vois : Simon en grande conversation avec
M. Vadec !

Les enfants sont abasourdis.

— Tu en es certaine ? Tu as réussi à voir
son visage ? demande François.

— Non, reconnaît Claude. Mais je suis sûre

167

que c'était lui... Noiraud, va voir s'il est dans sa chambre ! S'il est vraiment allé chez M. Vadec, il ne doit pas encore être rentré : il avait un verre à la main et il ne paraissait pas pressé de le vider... Dépêche-toi, Noiraud !

Le garçon disparaît. Quelques minutes plus tard, il est de retour.

— Simon est couché, annonce-t-il, haletant. Je l'ai vu dans son lit ! Je n'y comprends rien ! Vous croyez que Simon aurait un sosie ?

chapitre 15

Une étrange affaire

Claude n'arrive pas à en croire ses oreilles : elle était convaincue que Simon et le mystérieux interlocuteur de M. Vadec ne faisaient qu'un. Elle reste un moment interdite puis, se rappelant que M. Dorsel était attendu au *Pic du Corsaire* dans la soirée, elle demande :

— Est-ce que mon père est arrivé ?

— Oui, quelques minutes avant toi, répond Noiraud. Je t'attendais devant la maison et j'ai failli me faire écraser par le taxi ! J'ai à peine eu le temps de me jeter contre le mur !

— Qu'est-ce qu'on fait ? reprend Claude. Il faut absolument délivrer Dago ce soir. Je crois qu'il vaut mieux que je rentre dans ma chambre, au cas où Simon irait vérifier que je n'ai pas disparu. Je ressortirai quand tout le

169

monde sera couché. Noiraud, il faudra que tu m'ouvres encore la porte de la maison, puis nous irons dans le bureau et je pourrai retrouver Dago.

— Je ne suis pas sûr que les choses se passeront aussi simplement que tu le dis, observe Noiraud. Mais de toute manière, je ne vois pas d'autre solution... Si tu n'as plus faim, dépêche-toi de retourner dans ta chambre !

— Attends, je vais encore prendre deux ou trois brioches. Surtout, n'oublie pas de venir frapper à ma porte pour m'avertir quand tout le monde est couché et que je peux sortir sans danger.

Un quart d'heure plus tard, Claude se retrouve dans sa chambre, cache l'échelle de corde et referme sa fenêtre. Il était juste temps : Simon arrive, portant un maigre plateau-repas, qu'il dépose sur la table devant la prisonnière.

— Voilà de quoi dîner, annonce-t-il d'un ton glacial.

Claude le regarde. Sans qu'elle sache vraiment pourquoi, le visage impassible du majordome la met soudain hors d'elle et, perdant tout contrôle, elle s'empare du verre et jette l'eau sur Simon. Celui-ci, qui vient de faire demi-tour, reçoit la douche sur la nuque.

Il se retourne d'un bond et, rouge de colère,

marche vers la fillette. Ses yeux lancent des éclairs. Il lève le bras, mais, apercevant Mick et François sur le seuil de la pièce, il se retient.

— Tu me paieras ça, petite peste, lance-t-il d'une voix sifflante. Je vais te dire une chose : tu ne reverras jamais ton chien, jamais !

Sur ces mots, il sort. La porte se referme brutalement, puis la clef tourne dans la serrure.

— Claude ! Pourquoi est-ce que tu as fait ça ? s'exclament Mick et François dès que le majordome s'est éloigné. Tu peux être sûre que Simon va tout faire pour se venger !

— Je ne sais pas ce qui m'a pris : et maintenant je regrette mon geste ! répond Claude, piteuse.

Les enfants abandonnent Claude à sa solitude, car ils doivent descendre dire bonjour à M. Dorsel. La fillette les entend s'en aller à regret. Mais ils reviennent bien vite lui raconter leur entrevue avec son père.

— Oncle Henri est très fatigué et, comme c'était à prévoir, il a été très fâché de ce qu'il a appris sur toi, dit François. Il a déclaré que, si tu ne présentais pas tes excuses à M. Lenoir, tu resterais encore dans ta chambre toute la journée de demain.

Claude garde le silence. Elle n'a aucune intention de demander pardon, car elle déteste

171

M. Lenoir avec son sourire faux et ses brusques colères.

— On doit descendre pour dîner, annonce Noiraud. Ne t'inquiète pas, Claude, on te mettra quelque chose de côté dès que Simon aura le dos tourné. À tout à l'heure.

Après le départ de ses amis, Claude s'allonge sur son lit et se met à réfléchir. Il y a tant de choses qu'elle n'arrive pas à s'expliquer... Elle se sent en plein mystère : les signaux de la tour, Simon et ses manières étranges, cette conversation entre M. Vadec et un personnage qui ressemble au majordome... Et pourtant, ce dernier n'a pas quitté sa chambre de l'après-midi. Qu'est-ce que tout cela peut bien signifier ? Bientôt les yeux de Claude se ferment, et elle s'endort.

Quand Annie passe devant la porte de sa cousine pour aller se coucher en compagnie de Mariette, elle murmure : « Bonsoir », tandis que Noiraud suit Mick et François dans leur chambre, comme convenu. Claude se réveille juste assez pour leur dire bonsoir à tous, puis elle se rendort.

À minuit, elle est brusquement tirée de son sommeil par de petits coups impatients frappés à sa porte. C'est Noiraud.

— Oui. J'arrive ! annonce-t-elle à voix

basse, puis elle saisit sa lampe de poche et se dirige vers la fenêtre.

Quelques instants plus tard, elle prend pied sur le chemin de ronde, saute dans la rue et court à la porte de service par laquelle elle est déjà rentrée au *Pic du Corsaire*. Noiraud l'y attend. Claude se glisse à l'intérieur de la maison.

— Tout le monde est au lit, annonce le garçon à voix basse. J'ai bien cru que ton père et le mien ne monteraient jamais se coucher : ils sont restés à bavarder dans le bureau pendant des heures.

— Viens vite, Noiraud ! dit Claude.

Elle entraîne son compagnon vers le cabinet de travail de M. Lenoir et essaie d'entrer. Mais la porte ne s'ouvre pas. Surpris, Noiraud tourne la poignée à son tour et pousse le panneau de toutes ses forces. Mais les deux enfants doivent bien se rendre à l'évidence : la porte est fermée à clef !

— On aurait dû s'en douter, murmure Claude, désespérée.

Et, soudain, furieuse :

— J'en ai par-dessus la tête ! s'écrie-t-elle. Qu'est-ce qu'on va faire maintenant ?

Noiraud réfléchit un moment.

— Il ne reste qu'une solution, lui glisse-t-il à l'oreille. Je vais aller dans mon ancienne

173

chambre, celle que l'on a donnée à ton père, et je me faufilerai dans la penderie pour délivrer Dago. J'espère que ton père ne se réveillera pas pendant ce temps-là !

— Tu ferais vraiment ça pour moi ? dit Claude, émue. C'est vraiment gentil, tu sais ! Mais tu ne crois pas qu'il vaudrait mieux que j'y aille moi-même ?

— Je connais la galerie mieux que toi. Et puis, je peux t'assurer que ça n'a rien d'amusant de s'y promener tout seul en pleine nuit !

Tous deux montent l'escalier et se dirigent vers l'ancienne chambre de Noiraud. Mais devant la porte de chêne à l'entrée du couloir, Claude s'arrête.

— Noiraud, le signal ! murmure-t-elle. Dès que nous allons ouvrir, la sonnerie que tu as installée dans ta chambre va réveiller papa !

— Imbécile ! dit le garçon, amusé. Dès que j'ai appris que ton père prendrait ma chambre, j'ai débranché mon installation... Franchement, Claude, pour qui est-ce que tu me prends ?

Ils s'engagent dans le long couloir, puis s'avancent avec précaution jusqu'à la porte de Noiraud. Elle est fermée. Ils tendent l'oreille.

— Ton père a le sommeil agité apparemment, murmure le jeune garçon. Je vais attendre un peu. Pendant ce temps, tu devrais aller chez

174

Mariette et Annie. Ne t'inquiète pas ; je t'amènerai Dago dès que je l'aurai fait sortir du passage !

Claude suit le conseil de Noiraud, mais elle ne referme pas complètement la porte de Mariette, afin d'être certaine d'entendre le garçon revenir. Elle sera tellement heureuse de retrouver enfin Dagobert ! Et lui, fou de joie, n'en finira pas de la lécher et de bondir autour d'elle !

Noiraud pénètre sans bruit dans la pièce où dort M. Dorsel. Sachant que le parquet risque de craquer sous ses pas, il avance avec précaution en direction d'un grand fauteuil et se cache derrière le dossier.

Les minutes qui suivent paraissent interminables au jeune garçon. M. Dorsel s'agite et se retourne sans cesse dans son lit et il marmonne de temps à autre des paroles indistinctes. Il est sans doute fatigué par son voyage et excité par la longue conversation qu'il a eue avec M. Lenoir. Noiraud commence à se demander s'il va vraiment s'endormir. Lui-même sent le sommeil le gagner et ne peut s'empêcher de bâiller. Enfin M. Dorsel se calme. Le lit cesse de grincer. Noiraud s'apprête à quitter son abri mais soudain, il tressaille en entendant un bruit léger, du côté de la fenêtre.

La nuit est sombre, et Noiraud ne quitte pas la vitre des yeux. Quelqu'un essaie-t-il de l'ouvrir ? Non, rien ne bouge. Cependant le garçon a l'impression qu'il se passe quelque chose d'inhabituel un peu plus bas.

Sous la fenêtre est installée une large banquette, que Noiraud connaît bien. Combien d'heures y a-t-il passées à lire et à regarder la mer au loin ? Mais à présent, ce qui se produit semble inimaginable.

Le dessus du siège se soulève doucement, comme un couvercle. Noiraud n'en croit pas ses yeux : la planche sur laquelle il a l'habitude de s'asseoir est pourtant vissée aux angles ! Cette banquette serait donc en réalité un coffre ? Quelqu'un en aurait dévissé le dessus, puis se serait caché à l'intérieur en attendant, pour sortir, au moment voulu.

Noiraud est fasciné par le spectacle. Qui donc se cache là-dedans ? Et pourquoi ? Le couvercle continue à se soulever avec lenteur, d'un mouvement silencieux, presque imperceptible, à vous donner le frisson.

La planche est maintenant complètement relevée. Une ombre gigantesque émerge du coffre avec précaution. Noiraud sent les cheveux se dresser sur sa tête. Un sentiment de terreur s'empare de lui et lui serre la gorge.

La silhouette se dirige à pas de loup vers le lit. Noiraud discerne un geste rapide, entend une plainte étonnée et il devine qu'on vient de bâillonner M. Dorsel pour l'empêcher d'appeler au secours. Mais le garçon reste cloué sur place, incapable de crier ou de bouger. Il n'a jamais eu aussi peur de sa vie.

L'agresseur soulève le corps endormi du père de Claude et, revenant vers le coffre ouvert, le dépose à l'intérieur. M. Dorsel n'a pas esquissé le moindre geste de défense. Il a peut-être été endormi au chloroforme ?

Tout à coup, Noiraud retrouve sa voix.

— Hé, s'écrie-t-il. Qu'est-ce que vous êtes en train de faire et qui êtes-vous ?

Il allume brusquement sa lampe électrique. À sa grande surprise, le visage qui apparaît en pleine lumière ne lui est pas inconnu.

— Monsieur Vadec ! lance-t-il.

Soudain il reçoit un coup violent sur le crâne et perd connaissance. Il ne se rend pas compte qu'on le transporte, lui aussi, dans le coffre, ni que son agresseur y pénètre après lui.

Claude, qui attend dans la chambre voisine, entend tout à coup la voix de Noiraud. Elle a l'impression que ce dernier s'adresse à quelqu'un. Et puis, soudain, un cri retentit :

177

— Monsieur Vadec !

Alarmée, la fillette cherche sa lampe électrique, qu'elle a posée sur un meuble en entrant dans la chambre de Mariette et d'Annie. Toutes deux dorment à poings fermés. Dans sa précipitation, Claude se prend les pieds dans le tapis et se cogne violemment la tête contre le mur. Enfin, elle découvre sa lampe et sort dans le couloir, toute tremblante.

La porte de la chambre voisine est entrebâillée. La fillette écoute : il n'y a plus le moindre bruit. Pourtant, après le cri de Noiraud, elle est persuadée d'avoir entendu une sorte de choc sourd, mais sans réussir à en comprendre ce que cela pouvait être.

Alors elle passe courageusement la tête par l'ouverture et braque sa lampe à l'intérieur de la pièce. Stupéfaite, elle retient un cri : le lit est vide ! Et la chambre aussi. Le rayon de lumière fait le tour des murs, fouille les angles : il n'y a personne...

Claude entre, et se met à fureter partout : dans le placard, derrière les rideaux, sous le lit. En vain : Noiraud et M. Dorsel ont disparu !

Abasourdie, la fillette se laisse tomber sur la banquette placée devant la fenêtre. Une sombre angoisse s'empare d'elle...

chapitre 16

Le lendemain

Tandis que Claude s'interroge, assise sur le coffre même où son père et Noiraud viennent de disparaître, elle entend du bruit dans le couloir. Rapide comme l'éclair, elle se jette à plat ventre sous le lit. Afin de mieux voir, elle relève légèrement un pan de la couverture qui traîne sur le sol, puis elle attend, aux aguets.

Des pas discrets s'approchent de la porte. Quelqu'un entre et marque un temps d'arrêt, comme pour écouter et surveiller les alentours. Puis on traverse la chambre.

Écarquillant les yeux dans l'ombre, Claude ne perd rien de la scène. Une silhouette sombre se découpe vaguement devant la fenêtre. Claude la voit se pencher vers la banquette où elle était assise quelques instants plus tôt.

Dans l'obscurité, elle n'arrive pas à suivre les gestes du personnage, mais elle l'entend tapoter des doigts le dessus de la banquette. Puis il y a le bruit léger d'un objet métallique, suivi d'un grincement à peine perceptible.

Plusieurs minutes s'écoulent. L'inconnu poursuit sa tâche dans l'ombre. Puis il s'en va, aussi discrètement qu'il est venu. Claude est convaincue que c'est Simon. Elle ne l'a pas vu distinctement mais le personnage a toussoté une ou deux fois à la manière du majordome de M. Lenoir. Mais qu'est-il venu faire dans la chambre de M. Dorsel si tard dans la nuit ?

Claude a l'impression de vivre un mauvais rêve. Les événements les plus extraordinaires se succèdent au *Pic du Corsaire*. Chaque jour une nouvelle énigme inquiétante vient s'ajouter aux précédentes, mais il est impossible de trouver le moindre lien entre elles... Où est M. Dorsel ? A-t-il quitté sa chambre pour aller chercher quelque chose ? Et Noiraud ? Pourquoi a-t-il poussé cette exclamation ? Et où est-il passé ?

« Il n'aurait jamais crié aussi fort si papa avait été endormi », se dit Claude, de plus en plus angoissée.

Enfin, elle quitte sa cachette et sort de la chambre. Puis elle suit le couloir jusqu'à la porte de chêne donnant sur le palier. Elle l'ouvre avec précaution, passe la tête... La maison est plongée dans l'obscurité. De petits bruits parviennent jusqu'à la fillette : le battement d'une fenêtre, ou bien le craquement d'un meuble dans une pièce éloignée. Rien de plus.

Elle n'a plus qu'une idée : rejoindre au plus vite la chambre des garçons afin de leur raconter ce qui s'est passé. Elle traverse le palier et entre chez François et Mick. Tous les deux sont réveillés, impatients de voir revenir Noiraud, escorté de Claude et de Dago.

Mais leur cousine arrive seule, bouleversée et hors d'haleine. Et elle a une histoire surprenante à leur raconter... Elle s'installe au creux de l'édredon qui couvre le lit de François et, à voix basse, commence son récit.

Les garçons l'écoutent, stupéfaits.

— Claude, il faut retourner là-bas tout de suite. On vient avec toi, décide François quand sa cousine a terminé.

Il a déjà enfilé sa robe de chambre et cherche ses pantoufles. Cette fois, la situation devient sérieuse !

À toute allure, les enfants refont en sens inverse le trajet que Claude vient de parcourir. Ils vont réveiller Mariette et Annie qui sont épouvantées par ce que les trois autres leur

181

apprennent. Mais elles les suivent tout de même, encore tremblantes, dans la chambre de Noiraud. François ferme la porte, tire les rideaux et allume la lumière.

Ils parcourent du regard la pièce silencieuse, sans rien voir qui pourrait expliquer la disparition de M. Dorsel et de Noiraud. Dans le lit, les draps sont en désordre et l'oreiller froissé. La lampe électrique de Noiraud, abandonnée sur le parquet, est la seule preuve qu'il était bien dans la chambre. Claude répète à ses amis les mots qu'elle a cru entendre crier, mais cela n'apporte aucun éclaircissement.

— Je ne vois vraiment pas pourquoi Noiraud aurait hurlé le nom de M. Vadec alors qu'il était seul dans la pièce avec ton père, objecte François à sa cousine. M. Vadec ne pouvait pas être ici... Ça me paraît ridicule : il n'a aucun lien avec oncle Henri !

— Je sais. Mais, je suis sûre d'avoir bien entendu, réplique-t-elle. En fait, je me demande si M. Vadec ne serait pas entré dans la maison en passant par le passage secret pour faire un mauvais coup. Papa et Noiraud l'ont peut-être surpris, alors il est reparti par le même chemin en les emmenant avec lui pour qu'ils ne le dénoncent pas !

Cette explication paraît invraisemblable aux

autres enfants, mais ils doivent reconnaître que la théorie de Claude se tient. Ils ouvrent la penderie. Tâtonnant parmi les vêtements accrochés à l'intérieur, ils cherchent l'anneau de fer qui sert à faire basculer l'énorme pierre masquant l'entrée de la galerie. Mais il a été arraché !

— Regardez ! s'exclame François. Le passage est condamné ! Si quelqu'un est venu, il n'a pas pu repartir par là !

Claude devient soudain très pâle. Elle espérait tellement retrouver Dagobert en passant par cette trappe ! Et maintenant, c'est devenu impossible. Dans sa détresse, elle pense à son chien si fidèle : lui seul saurait la réconforter...

— Je suis sûr que M. Lenoir a quelque chose à voir avec tout ça ! s'écrie Mick. Et Simon aussi. Je parie que c'était lui qui rôdait dans la chambre quand Claude y était. Il doit être de mèche avec M. Lenoir dans une affaire pas claire...

— Si tu as raison, Mick, ça ne servira à rien de les avertir de ce qui vient de se passer ! déclare François. Ça pourrait même se retourner contre nous. Et nous ne pouvons rien dire à ta mère, Mariette. Elle mettrait tout de suite ton père au courant... Nous voilà dans de beaux draps !

Annie et Mariette, bouleversées, se mettent

183

à pleurer. Claude sent elle aussi les larmes lui picoter les yeux, mais elle parvient à maîtriser son émotion.

— Noiraud, Noiraud ! répète Mariette, désespérément inquiète pour son grand frère. Où est-il ? Je suis sûre qu'il est en danger !

— Ne t'inquiète pas, Mariette, dit François. On ira le secourir dès demain matin. Pour l'instant, personne ne peut nous aider dans la maison. Alors je propose qu'on retourne se coucher pour essayer de dormir un peu. Et demain matin, on verra bien si Noiraud et l'oncle Henri sont revenus... S'il ne sont pas là, on préviendra M. Lenoir pour voir sa réaction. S'il appelle la police, ça veut dire qu'il est innocent, mais s'il se contente de mettre lui-même la maison sens dessus dessous pour retrouver Noiraud et l'oncle Henri, on aura la preuve qu'il est dans le coup. Croyez-moi, on sera vite fixés !

Chacun se sent plus calme après ce long discours, prononcé d'une voix nette et rassurante. Pourtant, François est beaucoup moins sûr de lui qu'il ne veut le montrer. Il comprend, bien mieux que ses compagnons, qu'il se passe au *Pic du Corsaire* des choses extrêmement inquiétantes, et qu'un vrai danger plane sur ses occupants. Il préférerait que les filles ne soient pas mêlées à ces événements.

— Voici ce qu'on va faire ce soir, reprend-il. Claude, tu dormiras avec Annie et Mariette dans la chambre à côté. Fermez votre porte à clef et gardez la lumière allumée. Moi, je reste ici avec Mick. Comme ça, vous saurez que vous n'avez rien à craindre.

Les filles ne sont pas fâchées d'apprendre que Mick et François seront si près d'elles. Elles regagnent la chambre de Mariette, épuisées par ces émotions. Claude s'allonge sur des coussins posés par terre et s'emmitoufle dans une chaude couverture tandis que Mariette et Annie se remettent au lit. Malgré leur énervement et leur angoisse, toutes trois sont très fatiguées et ne tardent pas à s'endormir.

De leur côté, les garçons bavardent un long moment, couchés dans le lit de Noiraud. François pense qu'il ne se passera rien d'autre avant le matin. Et il s'endort sans crainte, tout comme Mick.

Le lendemain, ils sont réveillés par Renée. Elle vient tirer les rideaux et apporter une tasse de thé à M. Dorsel. En découvrant les deux garçons dans le lit de l'invité, elle manque tomber à la renverse.

— Où est votre oncle ? demande-t-elle, les yeux écarquillés. Et qu'est-ce que vous faites ici ?

185

— On vous expliquera plus tard, répond François, qui ne tient pas à entrer dans les détails, car il sait que Renée est bavarde. Laissez-nous la tasse de thé, nous la boirons avec plaisir !

— D'accord... Mais où est votre oncle ? répète-t-elle, de plus en plus intriguée. Il est dans votre chambre ?

— Vous pouvez toujours aller voir, conseille Mick, espérant ainsi se débarrasser de la cuisinière trop curieuse.

Elle sort de la pièce en haussant les épaules, convaincue qu'un vent de folie souffle sur la maison. Heureusement, elle laisse le thé sur la table de nuit ; les garçons s'en emparent et vont frapper à la porte des filles. Claude leur ouvre. Ils entrent et chacun boit à tour de rôle une gorgée de la boisson brûlante.

Là-dessus, Renée revient, accompagnée de Simon. Le visage de ce dernier est impénétrable, comme d'habitude.

— François, il n'y a personne dans ta chambre, commence la cuisinière.

Mais Simon laisse échapper un cri de surprise, en découvrant Claude. Il est pourtant bien certain de l'avoir enfermée dans sa chambre la veille au soir !

— Comment es-tu sortie ? demande-t-il avec

rudesse. Je vais avertir M. Lenoir. Tu étais punie !

— Taisez-vous ! s'écrie François. Je vous défends de parler à ma cousine sur ce ton. D'ailleurs, je suis certain que vous êtes pour quelque chose dans cette affaire. Sortez d'ici !

Que Simon ait entendu ou non, il ne fait pas un mouvement pour quitter la pièce. François se lève, le visage crispé.

— Sortez d'ici, vous m'entendez ! répète-t-il.

Et il continue, regardant l'homme bien en face :

— J'ai l'impression que la police s'intéresserait beaucoup à vous si elle était au courant de certaines choses. Et maintenant, dehors !

Épouvantée par les paroles que vient de prononcer François, Renée pousse un cri aigu. Elle recule vers la porte sans quitter le majordome des yeux et tourne les talons dans la seconde. Heureusement, Simon décide de sortir aussi, non sans lancer vers François un regard chargé de rancune.

— Je vais chercher M. Lenoir, grommelle-t-il.

Quelques instants plus tard, surviennent M. et Mme Lenoir. Celle-ci a l'air terrifié, tandis que son mari semble à la fois mécontent et surpris.

— Qu'est-ce qui se passe ? commence-t-il. Simon vient de me raconter une histoire à dormir debout. Il dit que M. Dorsel a disparu et...

— Et Noiraud aussi ! s'écrie Mariette, fondant en larmes. Il n'est plus là !

Mme Lenoir pousse un cri.

— Qu'est-ce que tu dis ? C'est impossible ! Explique-toi !

— Je vais le faire à sa place, si ça ne vous dérange pas, déclare François.

Il a peur que Mariette n'en dise trop. Après tout, il y a de grandes chances pour que M. Lenoir soit à l'origine de tout ce qui s'est passé. Il serait donc risqué de lui révéler tout ce qu'ils savent, surtout les soupçons qu'ils ont sur lui.

— François ! Qu'est-ce qui est arrivé ? Vite, je t'en supplie ! implore Mme Lenoir, complètement bouleversée.

— Oncle Henri a disparu de sa chambre cette nuit et Noiraud aussi, répond François. Ils peuvent encore revenir bien sûr...

M. Lenoir ne quitte pas le jeune garçon des yeux.

— Toi, tu nous caches quelque chose, dit-il d'un ton brusque. Tu as intérêt à nous raconter

188

tout ce que tu sais. Comment oses-tu faire des cachotteries dans un moment pareil !

— Dis-lui, François, dis-lui ! s'écrie Mariette, entre deux sanglots.

Le garçon la foudroie du regard, mais n'en dit pas davantage. M. Lenoir pâlit de colère.

— Puisque c'est ça, je vais avertir la police ! lance-t-il d'une voix tranchante, et on verra bien si tu continues à faire le malin devant ces messieurs !

François paraît interloqué.

— Comment, balbutie-t-il, vous... vous voulez vraiment appeler la police ? Je ne peux pas le croire : vous avez trop de secrets à cacher !

chapitre 17

De plus en plus étrange

Un silence de mort succède aux paroles de François, tandis que la stupeur se peint sur le visage de M. Lenoir. Le jeune garçon se mord les doigts de son imprudence.

Mais au moment où M. Lenoir va enfin ouvrir la bouche, le pas de Simon retentit dans le couloir.

— Entrez ! s'écrie le maître de maison. J'ai l'impression qu'il se passe ici des choses très bizarres !

Bien que la porte de la chambre soit ouverte, l'homme reste à l'extérieur. Il n'a sans doute pas entendu. Alors M. Lenoir lui fait signe avec impatience.

— Non, monsieur Lenoir, autant qu'il reste dehors, déclare François d'un ton ferme. On ne dira rien devant lui. Je n'ai pas confiance.

191

— Qu'est-ce que cela veut dire ? s'exclame M. Lenoir, furieux. D'abord, que savez-vous de mes employés ? Je connaissais Simon depuis des années quand il est entré à mon service : je suis sûr de lui. Ce n'est pas sa faute s'il est sourd et si ça le rend parfois irritable !

François ne dit rien, et il soutient sans baisser les yeux le regard haineux que Simon lui envoie.

— Enfin, c'est ridicule, reprend M. Lenoir, s'efforçant de garder son calme. Je me demande vraiment ce que vous avez tous ici : les uns disparaissent comme par enchantement et les autres me parlent comme au dernier des imbéciles ! François, s'il te plaît, dis-nous ce qui se passe !

— Excusez-moi, mais je préfère le dire à la police, réplique le garçon, sans cesser d'observer le majordome.

Mais le visage de ce dernier reste impassible.

M. Lenoir fait signe à Simon de s'en aller, voyant qu'il n'obtiendra aucun renseignement de la part de François aussi longtemps qu'il sera là.

— Et vous, les enfants, suivez-moi dans mon bureau. Cette affaire devient inquiétante, et si la police doit être mise au courant, je tiens à savoir ce qu'il en est.

192

François est assez déconcerté. Il ne s'attendait pas du tout à ce que M. Lenoir réagisse comme cela. La surprise et l'inquiétude du père de Noiraud paraissent sincères, et il a de toute évidence la ferme intention d'alerter lui-même la police. Se comporterait-il ainsi s'il avait quelque chose à voir avec la disparition de Noiraud et de M. Dorsel ? François ne sait plus quoi penser.

Mme Lenoir pleure en silence, tandis que Mariette, qui s'est réfugiée auprès d'elle, continue à sangloter. M. Lenoir passe son bras autour des épaules de sa femme pour la consoler, puis il se penche et embrasse la petite fille.

— Ne t'inquiète pas, ma chérie, lui dit-il d'une voix soudain radoucie. Nous allons tirer cette affaire au clair, je te le promets, et tout va s'arranger, même s'il faut rameuter tous les policiers de la région !

La stupéfaction de François est maintenant à son comble. Avec ses compagnons, il suit son hôte dans le bureau. M. Lenoir entre le premier et débarrasse sa table des piles de papiers qui l'encombrent. Puis il se tourne vers François.

— Alors, de quoi s'agit-il ? demande-t-il posément.

Les enfants remarquent que sa voix est plus

calme. La colère qui s'est emparée de lui est donc retombée.

— Eh bien, monsieur Lenoir, dit François, ne sachant trop par où commencer son récit, j'ai l'impression qu'il se passe beaucoup de choses étranges au *Pic du Corsaire*... Et je ne sais pas si vous serez très content que je dise à la police tout ce que je sais...

— Tu veux bien parler clairement s'il te plaît ? s'écrie M. Lenoir avec impatience. C'est quand même incroyable ! On dirait que je suis un criminel et que je devrais avoir peur de la police. Mais je peux t'assurer que ce n'est pas le cas ! Dis-moi ce qui se passe ici !

— D'abord, il y a les signaux que quelqu'un envoie du haut de la tour, révèle enfin François, qui en même temps observe attentivement la physionomie de M. Lenoir.

Celui-ci reste un instant bouche bée. Sa surprise est bien réelle.

— Des signaux ! Quels signaux ? s'écrie vivement Mme Lenoir.

François raconte la découverte de Noiraud, puis l'expédition qu'il a entreprise en pleine nuit avec ses camarades afin de surprendre ce qui se passait dans la tour. Et il décrit la ligne des minuscules points lumineux qui semblaient traverser les marais en venant de la mer.

194

M. Lenoir écoute le récit avec une extrême attention. Puis il interroge François sur la date et l'heure auxquelles se sont déroulés les faits. Le garçon explique ensuite comment Mick a suivi l'inconnu qui descendait de la tour.

— Il l'a vu entrer dans la chambre de Simon, dit-il. Et à partir de ce moment, on n'a pas réussi à savoir ce qu'il était devenu...

— Il s'est sans doute échappé en passant par la fenêtre, dit M. Lenoir. Simon n'y est pour rien, tu peux en être sûr. Sa loyauté et son dévouement sont au-dessus de tout soupçon, et je suis très satisfait de ses services. Mais je ne serais pas étonné que M. Vadec soit mêlé à ce mystère. Il ne peut pas envoyer le moindre signal de chez lui, parce que sa maison est située derrière les remparts et n'a aucune vue sur la mer. C'est certainement pour cela qu'il cherche à utiliser notre tour, et donc à s'introduire ici ! Il connaît les passages secrets et les souterrains comme personne. C'est un jeu d'enfant d'entrer ici pour lui.

Les enfants regardent M. Lenoir avec surprise.

« Alors, se disent-ils, c'était M. Vadec l'inconnu de la tour ! »

Et ils commencent à se convaincre que leur

195

hôte n'a réellement joué aucun rôle dans les mystérieux événements dont ils ont été témoins.

— En fin de compte, reprend M. Lenoir, je ne vois pas pourquoi nous ne mettrions pas Simon au courant de ce que je viens d'apprendre. Pour moi, le rôle joué par Vadec ne fait aucun doute....

François serre les dents, décidé à ne plus ajouter un seul mot.

— Je veux savoir ce que Simon pense de cette affaire, et puis, si nous ne parvenons pas à déchiffrer l'énigme nous-mêmes, j'appellerai la police, déclare M. Lenoir, en quittant le bureau.

François n'a aucune envie de poursuivre l'entretien en présence de Mme Lenoir. Il s'empresse de changer de sujet.

— Si on déjeunait ? dit-il. J'ai une faim de loup.

Ils se rendent à la cuisine, mais la pauvre Mariette ne peut rien avaler, tant elle se tourmente au sujet de Noiraud.

— Je crois qu'on devrait continuer les recherches de notre côté, déclare François quand les enfants se retrouvent seuls autour de la table. J'aimerais bien retourner explorer la chambre d'oncle Henri : il y a forcément un autre passage secret que celui où on a caché Dagobert.

— À ton avis, qu'est-ce qui s'est passé hier soir ? questionne Mick.

François réfléchit un moment, puis il répond :

— En fait, je pense que Noiraud s'est caché pour attendre que l'oncle Henri soit complètement endormi. Et, pendant ce temps-là, quelqu'un est entré dans la chambre avec l'intention d'enlever oncle Henri. Pourquoi, je ne sais pas, mais je suis persuadé que les choses se sont déroulées comme ça. Noiraud a probablement crié et le kidnappeur a dû lui donner un bon coup de poing pour le faire taire. Ensuite il l'a enlevé, lui aussi, et il a emmené ces deux prisonniers par un autre passage, que nous ne connaissons pas.

— Oui, je pense que tu as raison, dit Claude. Et c'est M. Vadec le ravisseur ! J'ai très bien entendu Noiraud crier son nom !

— Alors, Noiraud et l'oncle Henri doivent être en ce moment chez M. Vadec, dit soudain Annie.

— Mais oui ! s'exclame François. Comment est-ce qu'on n'y a pas pensé plus tôt ? Ils ne peuvent être que là ! Je me demande si je ne vais pas aller y faire un tour...

— Oh ! Je peux venir avec toi ? supplie Claude.

— Pas question. Il y a trop de risques et M. Vadec est un type dangereux... Vous, les filles, vous resterez ici. Mick viendra avec moi.

Un éclair de colère passe dans les yeux de Claude.

— Ce n'est pas juste, s'écrie-t-elle. Je suis aussi courageuse qu'un garçon ! Je veux y aller avec vous !

— Si tu es si courageuse, riposte François, tu n'as qu'à veiller sur Annie et Mariette à notre place. Il ne manquerait plus qu'on vienne les enlever elles aussi...

— Oh ! Claude, ne t'en va pas ! implore Annie. Reste ici avec nous !

— Bon, je vais rester... Et puis d'ailleurs, c'est de la folie d'aller chez M. Vadec, dit Claude. Si vous croyez qu'il va vous laisser entrer chez lui comme ça ! Et même si vous arrivez à vous introduire dans sa maison, je ne vois pas comment vous pourriez découvrir tous les passages secrets qui partent de là-bas. Il doit y en avoir autant qu'ici, si ce n'est plus !

François ne peut s'empêcher de penser que Claude a raison. Mais, il persiste à penser que l'expérience vaut le coup d'être tentée.

Dès que le déjeuner est terminé, les garçons

se mettent en route. Mais en arrivant chez M. Vadec, ils trouvent la maison fermée. Ils ont beau frapper et sonner à la porte, personne ne leur répond. Les volets sont clos.

— M. Vadec est parti en vacances, dit le jardinier, qui est occupé à bêcher les plates-bandes de la maison voisine. Ce matin même. Il a pris sa voiture. Son personnel n'est pas là non plus.

— Tiens, fait François, surpris. Est-ce qu'il y avait quelqu'un avec lui ? Un monsieur et un jeune garçon, par exemple ?

Le jardinier a l'air étonné et, secouant la tête, il répond :

— Non, il était seul.

— Merci, monsieur, dit François.

Les deux garçons regagnent *Le Pic du Corsaire*. Voilà qui est étonnant : M. Vadec a quitté sa maison sans emmener ses prisonniers ! Qu'en a-t-il donc fait ? Mais surtout, pourquoi a-t-il enlevé l'oncle Henri ? M. Lenoir n'a donné aucune explication sur ce point... En sait-il plus long qu'il ne veut bien l'admettre ? Quelle curieuse affaire, vraiment !

Pendant ce temps, Claude décide de mener sa propre petite enquête. Elle se glisse dans la chambre de M. Dorsel, et la visite minutieusement dans l'espoir de découvrir une seconde issue secrète. Elle sonde les murs, relève le tapis pour examiner le parquet centimètre par centimètre. Enfin, elle explore de nouveau la penderie. Mais, malgré tous ses efforts, elle ne trouve rien.

Elle s'apprête à quitter la pièce lorsqu'elle remarque quelque chose sur le sol devant la fenêtre. Elle se baisse pour ramasser l'objet. C'est une petite vis.

« Tiens ! se dit-elle, d'où est-ce qu'elle vient ? »

Et elle regarde autour d'elle.

Au début, elle ne repère aucune vis semblable à celle qu'elle tient à la main. Mais quand son regard se pose sur le siège encastré sous la fenêtre, elle constate que la planche de chêne qui forme la banquette est grossièrement fixée sur des montants en bois.

La vis provient-elle de ce siège ? Mais pourquoi serait-elle tombée par terre ? Claude se penche pour mieux examiner le meuble. Soudain, elle pousse un cri :

— Oh ! Il en manque une ! Tiens, tiens...

La fillette songe à ce qui s'est passé la nuit précédente. Elle se rappelle comment le mystérieux visiteur s'est introduit dans la chambre de son père, alors qu'elle venait de se cacher sous le lit. Et elle le revoit, penché sur la banquette de chêne près de la fenêtre. Il lui semble entendre encore les petits bruits qui l'ont intriguée : le heurt léger d'un objet métallique accompagné de petits grincements... Mais bien sûr ! c'étaient les vis que l'on serrait sur le dessus du siège !

« Si je comprends bien, quelqu'un est venu fixer cette planche pendant la nuit, et dans le noir, l'une des vis est tombée, se dit Claude. Bizarre... Qu'est-ce qu'il peut bien y avoir sous ce siège ? On dirait qu'il sonne creux... Pourtant je suis sûre que le dessus ne se soulève pas : il était déjà vissé l'autre jour quand j'ai essayé de l'ouvrir, croyant que cette banquette était un coffre comme celui qu'on a à la maison... »

Convaincue d'avoir découvert quelque chose d'important, Claude court chercher un tournevis et revient à la hâte. Elle s'enferme dans la chambre, au cas où Simon aurait l'idée de rôder dans les parages. Puis elle se met au travail. Que va-t-elle trouver sous la banquette ?

chapitre 18

Curieuse découverte

Claude va s'attaquer à la dernière vis quand on frappe à la porte. Elle sursaute et reste immobile, sans répondre, craignant d'avoir affaire à Simon ou à M. Lenoir.

Mais elle entend presque aussitôt la voix de François :

— Claude ! Tu es là ? demande-t-il.

Elle court ouvrir. Mick et François entrent, l'air surpris, suivis d'Annie et de Mariette. Claude referme aussitôt la porte à clef.

— M. Vadec est en voyage, tout était fermé chez lui, annonce François. On en est toujours au même point... Mais d'ailleurs, qu'est-ce que tu fais, Claude ?

— Je dévisse le dessus de cette banquette.

Et elle raconte ce qu'elle a découvert. Ses amis l'écoutent, surexcités.

203

— Bravo ! s'écrie Mick. Passe-moi le tournevis, je vais finir de dévisser ça.

— Non. C'est mon affaire ! réplique Claude.

Quand elle a retiré la dernière vis, elle soulève la planche. Les enfants regardent à l'intérieur, le cœur battant. Mais à leur grande surprise, ils ne voient qu'un coffre vide !

— Rien ! Décidément, on n'avance pas d'un pouce ! s'écrie Mick.

Il laisse retomber le dessus de la banquette, puis se tournant vers sa cousine :

— Et tu dis que quelqu'un serait venu ici revisser cette planche ? continue-t-il. Tu as dû rêver.

— Non ! réplique Claude sèchement.

Elle rouvre le coffre et monte dedans sans hésiter. Elle se met ensuite à sauter et à taper du pied. Tout à coup, on entend une sorte de déclic suivi d'un grincement, et le fond de la caisse se dérobe brusquement.

Claude a tout juste le temps de se rattraper au bord du meuble. Elle reste ainsi quelques instants, le souffle coupé, tandis que ses jambes se balancent désespérément dans le vide ; puis, aidée par ses amis, elle réussit à se tirer de cette dangereuse position.

Les enfants se penchent au-dessus de l'ouverture. Leur regard plonge dans un trou béant qui s'enfonce à la verticale sur près de trois mètres. Là, le puits paraît s'élargir et rejoint, à n'en pas douter, un passage secret relié au réseau de souterrains sous la colline.

Qui sait ? Peut-être mène-t-il directement à la maison de M. Vadec...

— Qui aurait pu se douter de ça ! s'exclame Mick. Je parie que même Noiraud n'en savait rien.

— Si on descendait ? propose Claude. On pourrait voir où mène cette galerie et se mettre à la recherche de Dago.

À ce moment, quelqu'un essaie d'entrer dans la chambre, puis, trouvant la porte verrouillée, frappe avec impatience.

— Pourquoi est-ce que vous vous êtes enfermés ? Qu'est-ce que vous faites ? s'écrie une voix irritée. Ouvrez immédiatement !

— C'est papa ! murmure Mariette, catastrophée. Il faut lui ouvrir.

Claude rabat le couvercle du coffre sans bruit. Elle ne veut à aucun prix que M. Lenoir soit au courant de sa dernière découverte. Quand il pénètre enfin dans la pièce, il voit les enfants debout près de la fenêtre ou bien assis sur la banquette.

— Je viens d'avoir une longue conversation avec Simon, annonce-t-il, et comme je m'en doutais, il n'avait pas la moindre idée de ce qui se passait dans la maison. Il a été complètement abasourdi en apprenant que vous aviez vu des signaux sur la tour. Mais il ne croit pas que M. Vadec soit pour quoi que ce soit dans cette affaire. À son avis, c'est plutôt une sorte de machination contre moi.

— Ah ! font simplement les enfants.

Chacun se dit qu'à la place de M. Lenoir, il n'attacherait pas autant de valeur aux paroles du majordome.

— Tout cela a tellement ému Simon que je lui ai permis d'aller se reposer un peu en attendant que nous prenions une décision.

Les enfants, eux, ne pensent pas que Simon soit du genre à se laisser émouvoir aussi facilement. Et ils sont persuadés qu'il va profiter de la permission accordée par M. Lenoir pour s'esquiver afin de préparer un mauvais tour.

— J'ai un dossier urgent à boucler, dit M. Lenoir. Je viens de téléphoner à la police, mais le commissaire était sorti. J'ai demandé qu'on me rappelle dès qu'il sera de retour... Et maintenant, vous allez me promettre d'être sages en attendant que j'aie terminé mon travail, d'accord ?

Jugeant la requête ridicule compte tenu des circonstances, les enfants se gardent de répondre. Alors M. Lenoir leur lance un brusque sourire, puis il quitte la pièce.

— Je vais aller jeter un coup d'œil dans la chambre de Simon pour vérifier qu'il y est bien, déclare François dès que M. Lenoir a disparu.

Il se rend à l'étage où dorment les employés et s'arrête devant la porte de Simon. Comme elle est légèrement entrouverte, le garçon n'a qu'à avancer la tête pour regarder à l'intérieur. Il voit la forme d'un corps couché dans le lit ainsi que la tête brune du majordome sur l'oreiller. Les rideaux sont tirés devant la fenêtre, mais il y a suffisamment de lumière pour que François puisse constater ce qui l'intéresse. Et il se dépêche de rejoindre ses compagnons.

— Simon est au lit, annonce-t-il. On est donc tranquilles pour un moment. Profitons-en pour explorer ce passage qui part du coffre.

— Bonne idée, descendons ! approuvent les autres avec enthousiasme.

François se penche par-dessus le coffre et sonde le puits.

— Il nous faudrait une corde, dit-il. On va se casser une jambe si on saute de cette hauteur. Mick, va en chercher une !

Mais François rappelle son frère aussitôt :

— C'est bon, Mick ! Je viens de m'apercevoir qu'il y a des petites cavités à intervalles réguliers tout le long du mur. Il y a juste la place d'y poser le pied ou la main. On peut s'en servir pour descendre.

François en tête, les enfants s'engagent dans le puits l'un après l'autre en utilisant les creux de la paroi comme les barreaux d'une échelle. Comme ils s'en doutaient, le puits n'est que le point de départ d'un nouveau passage secret. Mais celui-ci se termine quelques mètres plus loin par un escalier qui descend dans les profondeurs du sol, pour s'achever bien au-dessous du niveau de la maison. Là, ils aboutissent à une sorte de carrefour où plusieurs galeries s'entrecroisent. François, qui guide la marche, s'arrête net.

— On ne peut pas aller plus loin, dit-il. On risquerait de se perdre. Et Noiraud n'est pas là pour nous montrer le chemin. Ce serait complètement inconscient de continuer dans ce labyrinthe.

— Écoutez ! dit brusquement Mick, à voix basse. Quelqu'un vient !

Les enfants distinguent un bruit de pas dans l'une des galeries sur la gauche. Ils se rejettent en un éclair dans le passage secret par lequel ils sont venus. François éteint sa lampe et ils attendent, blottis dans l'ombre, le cœur battant.

Quelques instants plus tard, deux hommes débouchent dans le carrefour, précédés par la lueur dansante de leur torche électrique. L'un est grand et maigre, l'autre... l'autre ressemble étrangement à Simon !

Tous deux parlent à voix basse... Dans ce cas, comment pourrait-il s'agir de Simon puisque cet homme est sourd ? Et de toute façon, il est endormi dans sa chambre : François l'a constaté à peine dix minutes plus tôt ! Claude recommence à se demander si le majordome de M. Lenoir n'aurait pas un sosie...

Les hommes s'engagent dans une autre galerie, et la lumière des deux lanternes disparaît peu à peu, tandis que l'écho assourdi de leurs voix parvient encore aux enfants.

— Si on les suivait ? propose Mick.

— Non ! Ce serait de la folie, dit François aussitôt. Si on les perd de vue, on sera incapables de retrouver notre chemin ! Et puis, imagine qu'ils décident de revenir sur leurs pas et qu'ils nous découvrent : ce serait terrible !

— Moi, je suis certaine que le premier de ces deux hommes était M. Vadec, dit Annie tout à coup. Je n'ai pas très bien vu son visage, mais il ressemblait vraiment à M. Vadec... avec cette silhouette immense et maigre !

209

— Tu sais bien que M. Vadec est en voyage, objecte Mariette.

— C'est ce qu'il a dit au jardinier ! dit Claude. Je me demande bien où vont ces deux bonshommes... Ils comptent peut-être rejoindre mon père et Noiraud ?

— C'est bien possible, déclare François. Venez. À quoi bon s'éterniser ici ?

Les enfants font demi-tour et, après avoir gravi l'escalier, regagnent leur point de départ. Ils n'ont aucun mal à grimper jusque dans la chambre de Noiraud, grâce aux prises ménagées dans la paroi du puits.

Ils se retrouvent avec joie devant la fenêtre ouverte par laquelle le soleil s'engouffre à flots. Au-dehors, cependant, les marais commencent à se voiler de brume, alors que le sommet du Rocher Maudit scintille encore, baigné de lumière...

Au bout d'un instant, François ramasse le tournevis et dit, en baissant le couvercle du coffre :

— Je vais remettre les vis. Comme ça, Simon ne pourra pas deviner qu'on a découvert un nouveau passage secret. Je suis pratiquement sûr qu'il a dévissé le dessus de cette banquette pour permettre à M. Vadec d'entrer ici. Et ensuite, il est venu le revisser. Comme ça, personne ne soupçonne quoi que ce soit.

Il se met rapidement au travail, puis, une fois qu'il a terminé, il regarde sa montre.

— On ne va pas tarder à déjeuner, dit-il. J'ai une de ces faims... Ah ! comme j'aimerais que Noiraud soit ici, et l'oncle Henri aussi. Pourvu qu'il ne leur soit rien arrivé de grave, ni à Dagobert non plus...

Simon ne se présente pas au déjeuner, et Renée explique qu'il a demandé qu'on ne le dérange pas.

— Il souffre de migraines épouvantables, dit-elle. Il ira peut-être mieux dans l'après-midi...

De toute évidence, elle meurt d'envie de commenter les mystérieux événements de la nuit précédente, mais les enfants sont décidés à ne lui parler de rien. Elle est très gentille avec eux et ils l'aiment beaucoup, mais ils n'osent plus se fier à personne au *Pic du Corsaire*. Renée ne parvient donc pas à obtenir le moindre renseignement, ce qui la déçoit énormément.

Après le déjeuner, François décide d'avoir une discussion avec le père de Noiraud. Son inquiétude au sujet des deux disparus ne fait qu'augmenter et il en vient à se demander si son hôte ne prétend pas que le commissaire est absent pour gagner du temps.

M. Lenoir paraît très contrarié lorsqu'il voit entrer François dans son bureau.

— C'est toi ! s'écrie-t-il. J'attendais Simon. Ça fait plus de dix minutes que je lui ai demandé de venir me voir ! Je me demande pourquoi il ne descend pas... Je veux qu'il vienne avec moi au commissariat de police.

« Enfin ! » songe François.

Et il poursuit à voix haute :

— Je vais aller lui dire de se dépêcher.

Il monte l'escalier quatre à quatre, puis court jusqu'au couloir réservé aux employés. Et, sans s'arrêter, il pousse la porte de Simon.

Celui-ci dort encore ! Surpris, François l'appelle à haute voix. Mais se rappelant soudain que l'homme est sourd, il s'approche du lit et pose la main assez rudement sur l'épaule qui émerge des couvertures.

Mais ce qu'il touche est beaucoup trop mou. Surpris, il retire vivement sa main et se penche pour examiner le dormeur. Alors, il ne peut retenir un cri de surprise.

Il n'y a personne dans le lit ! Rien d'autre qu'un gros ballon, que l'on a badigeonné de noir pour qu'il ressemble à une tête brune à demi enfouie sous les couvertures. Et lorsque

François rejette celles-ci, il voit à la place du corps de Simon un énorme traversin !

— Je comprends tout maintenant ! s'écrie-t-il. C'était bien lui qui rôdait dans les souterrains ce matin, et que Claude a aperçu hier chez M. Vadec ! Il n'est pas plus sourd que moi... Mais c'est un bandit redoutable : habile, rusé, et prêt à tout !

chapitre 19

Le plan de M. Vadec

Que sont devenus Noiraud et de M. Dorsel ?

Lorsqu'il est attaqué par surprise la nuit du drame, l'oncle Henri, bâillonné, puis endormi au chloroforme par M. Vadec, ne peut ni se défendre ni appeler à l'aide. Son ravisseur n'a donc aucun mal à le transporter dans le coffre encastré sous la fenêtre et à le laisser tomber à l'intérieur. Puis c'est au tour de Noiraud de tomber dans les griffes de M. Vadec, qui se dépêche de rejoindre ses victimes au fond du puits.

Quelqu'un l'attend dans le passage secret, prêt à l'aider. Ça ne peut pas être Simon, puisqu'il est chargé de revisser le dessus de la banquette, afin que personne ne puisse deviner comment les victimes ont disparu. L'homme

215

tapi dans le souterrain est un des employés de M. Vadec.

— J'ai été obligé d'emmener aussi ce gamin, dit M. Vadec. Il était en train de fureter dans la chambre... Et, maintenant, c'est ce cher M. Lenoir qui va être surpris ! Tant mieux, ça lui apprendra à comploter contre moi !

Les deux hommes transportent leurs prisonniers jusqu'à l'entrée des galeries. Alors, M. Vadec s'arrête et tire une pelote de ficelle de sa poche.

— Tenez, dit-il à son homme de main, attachez le bout à ce clou, puis vous laisserez la ficelle se dérouler à mesure que nous avancerons. Je connais parfaitement le chemin, mais ce n'est pas le cas de Simon. Et comme c'est lui qui viendra donner à manger à nos deux amis demain, je ne tiens pas à ce qu'il se perde en route !

L'employé exécute aussitôt la consigne, puis le petit groupe se remet en route. Au bout d'une dizaine de minutes, il débouche dans une petite salle circulaire un peu en retrait par rapport à la galerie. Dans un coin sont installés un banc avec des couvertures ainsi qu'une caisse en guise de table. Dessus, il y a une cruche pleine d'eau. C'est tout.

De son côté, Noiraud commence à se

remettre du coup qu'il a reçu. Il reprend ses sens peu à peu. Mais M. Dorsel est toujours évanoui.

— Ce n'est pas la peine d'essayer de lui parler pour l'instant, dit M. Vadec. Il faudra attendre demain qu'il ait retrouvé ses esprits. Nous reviendrons le voir avec Simon.

Les hommes, qui ont d'abord couché M. Dorsel sur le banc, allongent Noiraud sur le sol. Puis ils s'apprêtent à s'éloigner. Soudain, le garçon se redresse et porte la main à son front douloureux. Il n'arrive pas à comprendre ce qui lui est arrivé, ni où il se trouve. Mais comme il relève les yeux, il aperçoit M. Vadec. Alors, la mémoire lui revient d'un coup.

— Monsieur Vadec ! s'écrie-t-il. Où est-ce que je suis ?

— C'est la punition que je réserve aux jeunes garçons qui mettent le nez dans ce qui ne les regarde pas ! répond M. Vadec d'un ton sarcastique. Tu tiendras compagnie à notre ami qui dort là, sur le banc. Ça m'étonnerait qu'il se réveille avant demain matin. Tu pourras lui dire que je reviendrai le voir. Je voudrais avoir avec lui une petite conversation à cœur ouvert... Bien sûr, je ne te conseille pas d'aller t'aventurer dans les souterrains. Tu ne retrouverais jamais ton chemin.

217

Noiraud est blanc comme un linge. Il sait parfaitement combien il est dangereux de s'engager dans certaines vieilles galeries dont le secret est perdu depuis longtemps. Et il n'est jamais venu dans celle où il se trouve avec M. Dorsel...

Noiraud s'apprête à poser d'autres questions à M. Vadec quand celui-ci fait brusquement demi-tour et s'éloigne avec son complice. Se voyant abandonné dans l'obscurité, le garçon pousse une exclamation.

— Bande de lâches ! s'écrie-t-il.

Puis il interpelle ses ravisseurs :

— Vous ne pourriez pas me laisser au moins un peu de lumière ?

Mais son appel reste sans réponse. Le bruit des pas s'estompe, puis s'éteint complètement. Tout n'est plus désormais que silence et obscurité.

Noiraud fouille dans sa poche, pensant y trouver sa lampe électrique. Mais il se rappelle soudain qu'il l'a laissée tomber sur le parquet de sa chambre.

Il se rapproche du banc à tâtons et cherche le père de Claude. Si seulement le scientifique pouvait se réveiller ! Noiraud se sent affreusement seul dans ces ténèbres. Sans compter qu'il fait aussi très froid !

Le garçon se glisse sous les couvertures auprès de l'homme endormi. On entend de l'eau tomber goutte à goutte : c'est l'humidité qui ruisselle de la voûte d'une galerie. Très vite, le bruit devient insupportable. Toc... toc... toc...

« Je vais réveiller M. Dorsel, se dit-il à bout de nerfs. Il faut absolument que je parle à quelqu'un ! »

Il se met à secouer son compagnon, mais sans succès. Soudain, il se rappelle que ses amis l'appellent toujours « oncle Henri ».

Alors, se penchant sur l'homme, il crie à son oreille :

— Oncle Henri ! S'il vous plaît, écoutez-moi ! Oncle Henri !

M. Dorsel bouge enfin. Il ouvre les yeux dans l'obscurité et perçoit vaguement la voix angoissée de Noiraud :

— Oncle Henri ! Réveillez-vous et dites-moi quelque chose. J'ai peur !

Au travers du brouillard qui lui obscurcit l'esprit, M. Dorsel songe confusément à Mick et à François. Sans doute est-ce l'un d'eux qui l'appelle en ce moment. D'instinct, il passe son bras autour de Noiraud et l'attire près de lui.

— Mais non, François, ce n'est rien. Dors, dit-il. Tout va bien, rendors-toi...

Il a à peine prononcé ces mots que lui-même

retombe dans un sommeil de plomb, car il est encore sous l'emprise du chloroforme. Pourtant, Noiraud se sent réconforté. Il ferme les yeux à son tour, encore tremblant. Quelques instants plus tard, il s'assoupit. Il dort à poings fermés toute la nuit et ne se réveille qu'en sentant l'oncle Henri s'agiter sur le banc.

Lorsqu'il commence à émerger de son sommeil, M. Dorsel constate avec surprise que son matelas lui semble beaucoup moins confortable que la veille au soir. Complètement désorienté, il étend le bras pour allumer sa lampe de chevet. La main qui cherche l'interrupteur ne rencontre que le vide.

« Mais enfin, qu'est-ce qui se passe ? » se demande-t-il.

Alors, il explore l'espace autour de lui, à tâtons. Soudain, ses doigts touchent le visage de Noiraud.

« Qui est-ce ? » se demande-t-il, de plus en plus perplexe.

Il se sent en même temps très mal à l'aise, la tête vide, la bouche sèche et amère.

— Oncle Henri ! Si vous saviez comme je suis content que vous soyez enfin réveillé ! s'écrie soudain une voix d'enfant. J'espère que vous ne m'en voudrez pas de vous appeler « oncle Henri »...

— Mais qui es-tu ? s'écrie M. Dorsel, ahuri.

Noiraud lui raconte tout. L'oncle Henri écoute le récit avec stupéfaction.

— Mais enfin, pourquoi est-ce qu'ils nous ont enlevés ? s'exclame-t-il, furieux. C'est incompréhensible !

— En ce qui vous concerne, je n'en ai pas la moindre idée, répond Noiraud. Quant à moi, je sais que M. Vadec m'a emmené parce que je l'avais surpris en train de se livrer à des activités suspectes. Il a dit qu'il reviendrait ce matin, avec Simon, pour discuter avec vous. On est malheureusement obligés de l'attendre, car on ne pourra jamais retrouver notre chemin dans ces souterrains. D'ailleurs, on n'a même pas de lampe !

Le temps passe. Enfin M. Vadec paraît, suivi de Simon. Ce dernier apporte quelques provisions destinées aux prisonniers.

— Je le savais ! s'exclame Noiraud dès qu'il reconnaît le majordome à la lueur de la torche électrique. Comment osez-vous tremper dans une affaire pareille ? Attendez un peu que mon père soit au courant, et vous verrez !

— Ça suffit ! Espèce de sale gosse ! jette Simon, rageur.

Noiraud le regarde avec stupeur.

— Alors, c'était bien vrai : vous entendez

parfaitement ! dit-il. Et vous avez toujours fait semblant d'être sourd... Vous avez dû en entendre, des secrets ! Vous n'êtes qu'un hypocrite et un bandit !

— Fais-le taire, Simon, conseille M. Vadec.

Et s'asseyant tranquillement sur une caisse, il poursuit :

— Moi, je n'ai pas de temps à perdre avec ce genre de garnement..

— Je m'en charge, répond Simon, d'un ton plat.

Il détache une corde qu'il porte enroulée autour de sa taille et la montre à Noiraud.

— Tu vois ça, vaurien ? continue-t-il. Tu vas enfin avoir droit à la correction que je te dois depuis si longtemps !

Le garçon prend peur. Il se lève d'un bond pour braver son adversaire, et il se met en garde, les poings serrés, comme un boxeur.

— Attends, Simon, dit M. Vadec. Laisse-moi d'abord parler à notre autre prisonnier.

L'oncle Henri tente d'écouter avec calme, sans quitter M. Vadec des yeux. Enfin, il prend la parole.

— Vous me devez une explication, dit-il d'un ton sévère. J'exige que vous me rameniez immédiatement au *Pic du Corsaire*. Et vous aurez quelques comptes à rendre à la police, je vous le garantis !

— Certainement pas ! réplique M. Vadec d'une voix mielleuse. J'ai une offre très généreuse à vous faire... Figurez-vous que je connais le but de votre visite chez M. Lenoir et la raison pour laquelle vous vous intéressez tellement à ses expériences et lui aux vôtres.

— Comment êtes-vous au courant de ça ? Vous nous avez fait espionner !

— C'est Simon qui s'en chargeait ! s'exclame Noiraud, indigné.

M. Vadec fait mine de n'avoir pas entendu, et il reprend, en s'adressant à nouveau à l'oncle Henri :

— Maintenant, cher monsieur, je vais vous expliquer ce dont il s'agit. Comme on a dû vous le dire, je suis contrebandier : d'ailleurs, ce métier me rapporte beaucoup d'argent. Il n'y a rien de plus facile que de se livrer à ce type de trafic dans le coin, vu qu'aucun douanier ne s'est jamais risqué dans les parages du marais et que personne ne peut empêcher mes hommes de traverser cette zone par les rares sentiers que je suis à peu près seul à connaître. Les nuits de pleine lune, j'envoie des signaux pour les guider le long de ces chemins dangereux... En réalité, c'est Simon qui s'en charge. Il trans-

223

met les messages depuis le sommet de la tour qui domine *Le Pic du Corsaire* et...

— Alors c'était bien lui ! souffle Noiraud.

— Ensuite, mes hommes transportent les marchandises sur leur dos par les sentiers du marais. Et je les écoule un peu plus tard, quand la situation est favorable et en prenant toutes les précautions nécessaires. C'est pour cela qu'il est impossible de m'accuser formellement : on n'a aucune preuve contre moi.

— Pourquoi est-ce que vous me racontez cela ? dit M. Dorsel d'un ton méprisant. Vos histoires ne m'intéressent pas. Mon projet ne concerne que l'assèchement du marais, je me moque pas mal de la contrebande qui s'y livre !

— Justement, mon cher ami ! C'est bien là le problème. Je me suis permis de consulter vos plans et de lire le compte rendu de vos expériences... Mais si votre projet réussit, je pourrai dire adieu à ma petite affaire ! Une fois le terrain asséché, on y bâtira des maisons et des routes, et les brouillards seront moins denses ! Et qui sait ? On construira peut-être même un petit port ! Mes bateaux ne pourront plus se glisser le long de la côte pour décharger en secret leurs cargaisons inestimables. Non seulement je perdrai mon argent, mais aussi cet

224

attrait du risque et de l'aventure auxquels je tiens tant !

— Vous êtes fou à lier ! s'écrie M. Dorsel.

Le père de Claude a raison : M. Vadec n'est pas un homme comme les autres. À une époque où la contrebande a pratiquement disparu, lui en a fait son art. Il éprouve une joie immense à savoir que de petites embarcations s'avancent dans la brume en direction de la côte. Il aime aussi penser à ces hommes qui traversent le marais de nuit, en file indienne et sur d'étroits sentiers, les bras chargés de marchandises illégales.

— Vous auriez dû vivre il y a cent ans, au moins ! s'exclame Noiraud, convaincu lui aussi de la folie de M. Vadec.

Le contrebandier se retourne. Ses yeux luisent d'un éclat fiévreux à la lueur de la lanterne.

— Toi, si tu dis encore un mot, je te jette dans le marais ! s'écrie-t-il d'une voix menaçante.

Noiraud sent un frisson lui passer dans le dos. Maintenant, il a bien compris qu'il ne faut pas prendre M. Vadec à la légère. C'est un homme dangereux. L'oncle Henri, qui en a également conscience, semble sur ses gardes et ne le quitte pas des yeux.

225

— Je n'ai rien à voir avec tout ce que vous racontez ! dit-il. Pourquoi est-ce que vous m'avez enlevé ?

— Je sais que M. Lenoir a l'intention d'acheter vos plans pour l'assèchement du marais. Je sais aussi qu'il les utilisera et qu'il espère faire fortune en vendant les terres qui auront été asséchées. Jusqu'à présent, c'est lui le seul propriétaire de cette immense étendue qui, pour l'instant, est parfaitement inexploitable ! Seulement voilà, je vous annonce qu'il va y avoir un petit changement : c'est moi qui vais acheter vos plans, à la place de M. Lenoir !

— Et vous allez assécher vous-même le marais ? demande M. Dorsel, étonné.

M. Vadec a un petit rire méprisant.

— Non. Quand je serai en possession de vos papiers, je les brûlerai ! Ils seront à moi, mais je ne les utiliserai pas. Le marais restera ce qu'il est : mystérieux, interdit, noyé dans la brume, et dangereux pour tout le monde, sauf pour mes hommes et pour moi... Alors, dites-moi quel est votre prix ? Vous me signerez ensuite ce document par lequel vous déclarez me céder l'entière propriété de tous vos projets !

Il brandit une grande feuille de papier sous les yeux de M. Dorsel. Noiraud suit la scène, haletant d'émotion. L'oncle Henri s'empare du papier, puis le déchire tranquillement en petits morceaux qu'il jette au visage de M. Vadec.

— Sachez, s'écrie-t-il, que je ne passe jamais de marché avec les fous, ni avec les ordures dans votre genre !

chapitre 20

Dagobert

M. Vadec pâlit, tandis que Noiraud s'exclame avec enthousiasme :

— Bravo, oncle Henri ! Bien joué !

Avec un cri de rage, Simon se rue sur le garçon et, l'empoignant par l'épaule, il brandit sa corde à bout de bras pour le frapper.

— Bonne idée, approuve M. Vadec d'une voix sifflante. Règle donc son compte à ce gamin. Après, ce sera le tour de l'autre : cet imbécile qui ne veut rien entendre ! Mais fais-moi confiance, ils reviendront vite à la raison : quelques jours passés dans le noir, sans manger... et tu verras qu'ils seront beaucoup plus compréhensifs !

Effrayé par le tour que prennent les événements, Noiraud pousse un cri strident. M. Dor-

229

sel se lève d'un bond, mais au même instant, la corde s'abat violemment sur les épaules de Noiraud, qui ne peut retenir un hurlement de douleur.

Tout à coup, on entend des bruits de pas qui arrivent en courant. Rapide comme l'éclair, une énorme masse surgit d'une galerie et se jette sur Simon. Le majordome, chancelant sous l'attaque imprévue, fait tomber sa lampe torche. La lumière s'éteint d'un coup.

Dans l'ombre résonnent des grognements furieux, tandis que Simon lutte désespérément contre l'assaillant qui s'acharne sur lui sans pitié.

— Vadec ! Aidez-moi ! hurle-t-il.

Le contrebandier veut s'élancer pour le secourir, mais l'ennemi invisible l'attaque à son tour. Noiraud et M. Dorsel écoutent, pétrifiés. À leur surprise extrême se mêle un sentiment de crainte. Qui est cet inconnu qui est survenu sans crier gare dans le souterrain ? Se jettera-t-il aussi sur eux ?

Soudain, l'énergumène donne de la voix et, contre toute attente, c'est une série d'aboiements frénétiques qui retentit et se répercute le long des galeries souterraines. Noiraud pousse un cri de joie.

230

— Dago, c'est toi ! s'écrie-t-il. Vas-y, mon bon chien, mords-le, mords-le bien !

Épouvantés, les deux bandits ne savent comment se défendre contre un adversaire aussi décidé que Dagobert. Et ils s'enfuient bientôt à toutes jambes, en s'efforçant de ne pas s'écarter de la corde qu'ils ont tendue le long des galeries pour ne pas se perdre. Dago s'élance joyeusement à leurs trousses et prend un plaisir extrême à les chasser quelques instants. Puis il revient, très satisfait de lui-même, auprès de Noiraud et de M. Dorsel.

Tous deux l'accueillent comme un héros. Le père de Claude n'en finit plus de lui tapoter les flancs en signe de félicitations, tandis que Noiraud lui passe les bras autour du cou pour le caresser et l'embrasser.

— Comment est-ce que tu es venu jusqu'ici ? Tu as réussi à sortir du passage où on t'avait laissé ? Mon pauvre vieux... tu dois être mort de faim ! Tiens, regarde, voilà de quoi manger...

Sans se faire prier, Dago accepte l'offre et déjeune de bon cœur. Il a bien réussi à attraper quelques souris dans le souterrain, les jours précédents, mais cela n'a pas suffi à apaiser son appétit. Il a aussi trouvé de minces filets d'eau coulant le long des galeries et les a lapés pour

231

étancher sa soif. Mais s'il n'a pas trop souffert du manque de nourriture, il s'est, en revanche, senti horriblement seul, séparé de tous ceux qu'il aime. Pourquoi ses amis l'ont-ils laissé enfermé dans ce souterrain et pourquoi sa chère maîtresse n'est-elle pas revenue ? Il n'est jamais resté séparé d'elle aussi longtemps !

— Oncle Henri, fait soudain Noiraud, vous ne pensez pas que Dago serait capable de nous retrouver le chemin du *Pic du Corsaire* ?

Le jeune garçon se tourne vers Dagobert et, détachant ses mots, il lui dit d'un ton ferme :

— En route, mon vieux ! Ramène-nous à la maison. Tu comprends ? À la maison : pour rejoindre Claude !

Dago écoute, les oreilles dressées. Puis il court faire un petit tour dans la galerie par laquelle sont venus Simon et M. Vadec. Mais il revient bientôt, l'air penaud : son flair l'avertit que des ennemis guettent peut-être. Les deux brigands ne vont certainement pas abandonner la partie aussi facilement !

Mais Dago connaît d'autres chemins parmi tous ceux qui parcourent le Rocher Maudit. Il n'hésite pas plus longtemps : il s'engage dans l'obscurité, entraînant avec lui le père de Claude, qui l'a pris par son collier, tandis que

Noiraud ferme la marche, cramponné à la manche de M. Dorsel.

Le parcours est compliqué, et l'oncle Henri finit par se demander si Dago sait vraiment où il va... Ils descendent par une galerie en pente qui paraît interminable. Ils trébuchent à chaque instant sur le sol inégal et ils se cognent parfois la tête contre la voûte du passage, tout à coup abaissée. L'épreuve est particulièrement désagréable pour M. Dorsel qui marche pieds nus, en pyjama, une couverture drapée autour des épaules.

Les fugitifs atteignent enfin le terme de leur expédition et, débouchant de la galerie, ils se retrouvent au bas de la colline. Devant eux s'étend le marais, déjà embrumé. Le site est désolé, désert, et pas plus Noiraud que l'oncle Henri ne savent de quel côté se diriger.

— Bah ! Nous n'avons qu'à suivre Dago, déclare Noiraud. Il connaît le chemin pour aller en ville. De là, nous n'aurons aucun mal à retrouver *Le Pic du Corsaire* !

Mais Noiraud a à peine prononcé ces mots que Dago s'arrête net, et se met à pousser de longs gémissements. La queue entre les jambes, il refuse de faire un pas de plus. Que se passe-t-il ?

Soudain, il lance un bref aboiement, fait

233

demi-tour et, abandonnant ses deux amis, se précipite dans la galerie qu'il vient de quitter.

— Ici, Dago ! hurle Noiraud. Reviens ! Tu ne vas quand même pas nous laisser tomber ! Dago !

Mais Dagobert a disparu. Noiraud et M. Dorsel se regardent, effarés.

— Cette fois, dit l'oncle Henri, nous n'avons plus qu'à nous débrouiller par nous-mêmes... Allez, il faut d'abord qu'on essaie de franchir ce bout de terrain marécageux devant nous. Plus loin, on trouvera sans doute un sentier.

Avec précaution, le père de Claude avance le pied afin de tâter le sol. Mais il se rejette vivement en arrière : la vase cède sous son poids !

Le brouillard est maintenant tellement épais qu'il est impossible de distinguer quoi que ce soit à plus de quelques mètres. Derrière les fugitifs s'ouvre l'entrée de la galerie par laquelle ils sont arrivés. Au-dessus, le flanc de la colline s'élève à pic, dressé comme une haute falaise. Aucun sentier ne passe de ce côté, c'est certain. Il ne reste donc plus qu'à contourner le pied du Rocher Maudit pour rejoindre la route en lacet qui mène à la ville. Malheureusement, pour y accéder, il faut traverser la parcelle de terrain marécageuse...

— Asseyons-nous, propose Noiraud. Dago va peut-être revenir.

Ils s'installent sur un gros rocher à l'entrée de la galerie, guettant le moindre bruit susceptible d'annoncer le retour du brave chien. Noiraud, lui, ne peut s'empêcher de penser à ses camarades restés au *Pic du Corsaire*. Il imagine leur stupéfaction en constatant sa disparition et celle de M. Dorsel.

« Je me demande ce qu'ils font en ce moment, se dit-il. Je donnerais cher pour le savoir ! »

Claude et ses compagnons ne sont pas restés les bras croisés.

À cet instant précis, ils sont tous réunis dans le bureau de M. Lenoir et se bousculent presque pour lui raconter ce qu'ils ont appris depuis le matin. Il ne faut pas longtemps au père de Noiraud pour se convaincre que, bien loin d'être l'homme loyal qu'il paraissait, Simon n'est en réalité qu'un redoutable espion, installé au *Pic du Corsaire* par M. Vadec !

Rassuré de voir que M. Lenoir a enfin changé d'opinion sur le majordome, François n'hésite plus à le mettre au courant de ce qu'il sait.

— Vraiment ! s'exclame M. Lenoir quand

235

François a terminé son récit, Vadec est complètement fou ! Je l'ai toujours trouvé un peu bizarre, mais il faut avoir perdu la tête pour imaginer d'enlever deux personnes dans la nuit ! Et Simon ne vaut pas mieux ! C'est un véritable complot : ces deux bandits ont dû prendre connaissance des projets de M. Dorsel et ils ont dû lui faire un odieux chantage, pour que leurs affaires de contrebande ne soient pas mises en danger.... Tout ceci est très grave.

— Ah ! Si seulement Dagobert était ici ! s'écrie Claude brusquement.

M. Lenoir regarde la fillette, ébahi.

— Qui est Dagobert ? demande-t-il.

— Eh bien, répond François, autant tout vous dire maintenant...

Et il révèle la présence du chien au *Pic du Corsaire*.

M. Lenoir paraît extrêmement contrarié.

— Cette histoire est ridicule, dit-il sèchement. Si vous me l'aviez dit, je me serais arrangé pour mettre cet animal chez un voisin. J'ai horreur des chiens et je n'en veux pas chez moi parce qu'ils me font peur, mais je n'aurais pas mieux demandé que de trouver une solution...

Ces paroles plongent les enfants dans la confusion. Et ils regrettent leur attitude envers

M. Lenoir. Il est sans doute un peu maniaque et colérique, mais il est loin d'être aussi méchant qu'ils avaient cru.

— Oh ! Monsieur Lenoir, je voudrais tellement délivrer Dagobert ! dit Claude. On pourrait peut-être essayer de le retrouver pendant que vous appelez la police ? Le passage secret a une seconde issue qui s'ouvre ici, dans votre bureau...

— Ah ! Je comprends, s'exclame le père de Noiraud. C'est pour ça que je t'ai surpris dans cette pièce ! Eh bien, je ne vois aucun inconvénient à ce que tu libères ton chien, à condition que tu ne le laisses pas s'approcher de moi.

Sur ces mots, il part téléphoner dans l'entrée, suivi de Mme Lenoir, dont les yeux sont gonflés par les larmes.

— Vite, ouvrons le panneau, s'écrie Claude dès qu'elle se retrouve seule avec ses amis. Dans le passage, on se mettra tous à appeler Dago et à siffler. Comme ça, il nous entendra sûrement, même s'il est à l'autre extrémité du souterrain !

Répétant les gestes qu'ils ont vu faire par Noiraud, les enfants ouvrent sans difficulté la porte secrète et, quelques instants plus tard, ils s'engouffrent l'un après l'autre dans le passage. Mais ils ont beau explorer l'étroite galerie qui

237

mène à la chambre de Noiraud, ils ne trouvent aucune trace de Dago ! Pourtant Claude ne se laisse pas abattre pour si peu.

— Vous vous souvenez de ce qu'a dit Noiraud ? Il pense que ce passage a une autre issue dans la salle à manger... Et justement, je crois que j'ai aperçu une porte quand nous sommes passés à côté tout à l'heure. Dago a très bien pu partir par là et il a peut-être même découvert une autre galerie.

Les enfants reviennent sur leurs pas et, à l'endroit qu'indique la fillette, ils découvrent une petite porte dérobée à peine visible dans le mur. Claude la pousse. Le battant cède facilement, puis se referme tout seule, avec un léger déclic : il ne s'ouvre apparemment que d'un seul côté.

— C'est par là qu'est passé Dago ! dit Claude. Venez, il faut le retrouver.

La porte franchie, les enfants empruntent une nouvelle galerie, un peu moins étroite. Soudain, le sol commence à descendre. François se retourne vers ses compagnons et leur dit :

— J'ai l'impression qu'on ne va pas tarder à rejoindre le souterrain qu'on prenait pour emmener Dago en promenade. Tenez : voici le puits qui part de la chambre !

Ils continuent d'avancer, appelant et sifflant

Dago de toutes leurs forces. Mais rien n'y fait. Claude ne tarde pas à s'inquiéter.

— Regardez, s'écrie Mick tout à coup, on dirait qu'on est dans la galerie à laquelle on accède par le coffre sous la fenêtre de la chambre où dormait l'oncle Henri ! Mais oui, et c'est ici qu'on a vu passer Simon et M. Vadec !

— François ! dit Claude épouvantée, et s'il était arrivé quelque chose à Dago ? Je n'y avais pas encore pensé !

Cette crainte s'empare de tous les enfants... Si les bandits ont croisé Dago à un moment ou à un autre, il y a forcément eu de la bagarre. Dans ce cas, que s'est-il passé ? Comment Claude et ses amis pourraient-ils se douter qu'à l'instant même où ils se tourmentent ainsi, Dago est auprès de Noiraud et de M. Dorsel !

— Regardez, là ! s'exclame François, braquant sa lampe électrique sur la paroi du souterrain. Une ficelle ! Et on dirait qu'elle longe toute la galerie... Je me demande à quoi elle sert...

— Puisque Simon et Vadec sont passés par là, déclare Claude, ce souterrain mène sûrement à l'endroit où ils ont emmené leurs prisonniers. Ils ont dû les cacher par là ! Je vais suivre cette ficelle jusqu'au bout ! Qui vient avec moi ?

chapitre 21

Le Rocher Maudit

— Moi ! répondent les enfants d'une seule voix.

Ils s'engagent donc dans la galerie obscure, en suivant la corde à tâtons. François, qui ouvre la marche, ne la lâche pas et ses camarades le suivent de près, en se tenant la main.

Au bout d'une dizaine de minutes, ils parviennent à la petite salle circulaire où Noiraud et M. Dorsel ont passé la nuit précédente. Il n'y a évidemment plus personne, puisque les prisonniers ont déjà été libérés par Dago.

— Regardez, c'est là qu'ils étaient ! s'écrie François, promenant autour de lui le faisceau de sa lampe. Tiens, il y a des morceaux de papier déchiré, là par terre ! J'ai l'impression qu'il y a eu de la dispute !

241

Claude résume ce qui s'est passé.

— M. Vadec a de toute évidence laissé ses prisonniers ici, déclare-t-elle. Et puis, il est revenu faire une proposition malhonnête à papa, qui a refusé. Après, ils ont dû se battre... Oh ! Pourvu que papa et Noiraud s'en soient tirés sains et saufs !

Le visage de François s'est assombri.

— J'espère qu'ils ne sont pas en train d'errer à l'aveuglette dans ces affreux souterrains, dit-il. Même Noiraud n'en connaît pas le quart.

— Attention, quelqu'un vient ! dit Mick tout à coup. Vite, François, éteins ta lampe !

Le garçon obéit et les quatre amis sont plongés dans l'obscurité complète. Ils se tapissent au fond de la salle et attendent, blottis contre le mur, aux aguets.

— Oui, j'entends marcher, murmure Mick. On dirait qu'il y a deux ou trois personnes, qui avancent avec précaution...

Les pas se rapprochent.

— C'est peut-être M. Vadec, ou bien Simon, fait Claude dans un souffle.

Soudain une vive lumière jaillit dans la salle et se braque sur les enfants apeurés. Un cri de surprise retentit :

— Qu'est-ce que ça veut dire ?

242

C'est la voix de M. Vadec. François se lève, ébloui par le faisceau lumineux.

— On est venus chercher mon oncle et Pierre Lenoir, dit-il sans ciller. Où sont-ils ?

— Comment ? Ils ne sont plus ici ? dit M. Vadec, interloqué. Et ce sale chien a disparu, lui aussi ?

— Oh ! Dago était avec eux ? s'exclame Claude d'un ton joyeux. Mais où est-il maintenant ?

Deux hommes accompagnent M. Vadec : Simon, et l'employé du contrebandier. Ce dernier pose sa lampe sur le sol.

— Vous êtes en train de me dire que vous ne savez pas ce que sont devenus M. Dorsel et Pierre Lenoir ? demande-t-il avec inquiétude. S'ils sont partis seuls dans les souterrains, on ne les reverra jamais.

Annie pousse un cri :

— Ce sera votre faute ! Espèce de monstre !

— Tais-toi ! ordonne François.

Et, se tournant vers l'homme furieux :

— Je crois qu'il vaudrait mieux que vous reveniez avec nous au *Pic du Corsaire*, pour expliquer tout ce qui s'est passé. M. Lenoir attend la police.

— Vraiment ? Eh bien ! Dans ce cas, nous allons tous rester ici pour le moment... Vous et moi, parfaitement ! Ah, ah ! Vous êtes mes nouveaux prisonniers, mes petits, et cette fois on vous ficellera comme des saucissons pour que vous ne preniez pas la poudre d'escampette comme les autres ! Simon, passe-moi la corde !

Le majordome obéit. Puis, d'un geste brutal, il empoigne Claude. Elle se met à crier :

— Dago, Dago, où es-tu ? Au secours, Dago !

Ses appels restent sans réponse et Claude est bientôt jetée au fond de la salle, les mains liées derrière le dos. Les hommes se tournent ensuite vers François.

— Vous êtes fou ! lance celui-ci à M. Vadec, qui se tient à quelques pas, levant sa lampe pour mieux éclairer la scène. On n'a pas idée d'agir comme vous le faites !

— Dago ! hurle Claude, qui s'efforce désespérément de libérer ses poignets. Dago ! Dago !

Mais au même moment, Dagobert est trop loin pour entendre la voix de sa maîtresse. Pourtant, tout à coup, alors qu'il se trouve au bord du marais en compagnie de Noiraud et de M. Dorsel, il est pris d'une étrange inquiétude. Il tend l'oreille, écoute. Il ne peut rien distinguer, mais, d'instinct, il sent que Claude est en danger : elle a besoin de lui !

Il fait volte-face, se précipite dans la galerie

et, haletant, reprend en sens inverse le chemin qu'il vient de parcourir avec Noiraud et M. Dorsel.

Soudain, à l'instant où les bandits ligotent les poignets de François qui leur a bravement résisté, un bolide surgit, lancé à toute allure. Le poil hérissé, les crocs découverts et l'œil mauvais, c'est Dago ! Tout de suite, il reconnaît l'odeur de son ennemi, M. Vadec. Puis celle de Simon. Celui-ci pousse un cri de frayeur.

— Attention, revoilà cette sale bête ! hurle-t-il, en s'écartant vivement de François. Vadec, ton revolver, vite !

Mais Dago se moque bien du bandit et de son arme ! Furieux, grondant comme un fauve en colère, il bondit sur M. Vadec, le renverse en un clin d'œil et lui donne un bon coup de dents à l'épaule. L'homme pousse un hurlement, mais déjà Dago se jette sur Simon et lui fait subir le même sort. Saisi de panique, le troisième bandit prend ses jambes à son cou et disparaît dans les souterrains.

— Rappelez ce chien ! Rappelez-le, il va nous mettre en pièces ! crie M. Vadec, tremblant de peur.

Il se relève à grand-peine, vacillant sous la douleur qu'il ressent à l'épaule. Mais Claude ne dit pas un mot.

245

« Que Dago fasse comme bon lui semble ! » pense-t-elle.

Quelques instants plus tard, Simon et M. Vadec décampent à leur tour. Ils rejoignent leur complice dans le noir, et tous trois s'enfuient, cherchant leur chemin à tâtons. Mais ils ne réussissent pas à retrouver la ficelle qui leur a servi de guide... et ils doivent avancer au hasard, tremblant de peur. Dago court vers ses amis.

Se jetant sur Claude, il la lèche des pieds à la tête, fou de joie. Et Claude, qui ne pleure pourtant jamais, sent à sa grande surprise les larmes ruisseler sur son visage.

— C'est parce que je suis si contente, mon beau Dago ! dit-elle. Oh ! Venez vite me détacher les mains que je puisse le prendre dans mes bras !

Mick se hâte de les délivrer, elle et François. Les enfants couvrent le chien de baisers et de caresses. Et lui glapit de plaisir, en se roulant sur le sol, et en gigotant dans tous les sens.

— Oh ! Dago, j'ai eu tellement peur de ne pas te revoir ! dit Claude, transportée. Maintenant, tu vas nous conduire auprès de papa et de Noiraud, d'accord ? Je suis certaine que tu sais où ils se trouvent.

Dagobert ne demande pas mieux que d'obéir.

Et il se met en route, remuant la queue en signe d'enthousiasme. Claude saisit son collier et ses compagnons la suivent, en file indienne. Ils ont ramassé la lampe de M. Vadec et celle-ci, ajoutée à leurs deux torches électriques, éclaire parfaitement la galerie. Mais, sans Dago, ils n'auraient pas fait beaucoup de chemin avant de s'égarer complètement dans le dédale des nombreux passages qui se croisent et se recroisent à chaque instant. Heureusement, Dago connaît chacun des détours du labyrinthe. De plus, son flair et son sens de l'orientation l'aident à se dirigent sans erreur possible.

— Dago est merveilleux, dit Annie. Je suis sûre que c'est le meilleur chien du monde, pas vrai, Claude ?

— C'est évident ! répond celle-ci, convaincue. Quand je pense à la manière dont il est arrivé sans crier gare... Et comment il a sauté sur Simon au moment où cet escroc était en train d'attacher les poignets de François. Il savait qu'on avait besoin de lui.

— Il va sans doute nous amener à l'endroit où se trouvent Noiraud et ton père, dit Mick. Il a l'air sûr du chemin à suivre... Le sol est de plus en plus pentu. Je parie qu'on se dirige vers le marais.

Ils atteignent enfin le bas de la colline et,

247

lorsqu'ils débouchent du souterrain, Claude pousse un cri :

— Regardez ! Voilà papa... et Noiraud !

— Oncle Henri ! Noiraud ! s'écrient les autres.

Le scientifique et le jeune garçon se retournent, stupéfaits. Et ils se précipitent vers les arrivants.

— Comment avez-vous pu nous rejoindre ici ? questionne M. Dorsel. Dago est allé vous chercher ? Il nous a plantés ici brusquement pour se précipiter dans le souterrain...

— Qu'est-ce qui s'est passé ? demande Noiraud, impatient d'en apprendre davantage.

— Des tas de choses ! répond Claude, rayonnante.

Et chacun entame le récit de ses aventures.

— Maintenant, déclare enfin François, je crois qu'il veut mieux rentrer au plus vite au *Pic du Corsaire*, si on ne veut pas que le commissaire envoie tous ses hommes à notre recherche. C'est M. Lenoir qui va être surpris de nous voir revenir tous ensemble !

— Et moi, j'ai hâte de me changer, je me gèle dans ce pyjama... marmonne M. Dorsel.

Et, serrant sa couverture autour de lui, il ajoute avec un soupir :

— Je vais faire fureur à parcourir les rues de la ville dans cet accoutrement !

Claude frissonne légèrement, car l'humidité est glaçante, et reprend :

— Dago, montre-nous comment revenir à la maison !

C'est la première fois que Dagobert s'aventure en dehors du souterrain. Pourtant, on dirait qu'il connaît déjà les lieux. Sans hésiter, il prend la tête du groupe et commence à contourner le Rocher Maudit. Ses amis lui emboîtent le pas, émerveillés de la sûreté avec laquelle il évite les endroits dangereux. La brume est tellement dense que l'on voit à peine où mettre le pied, et la surface menaçante du marais s'étend là, toute proche...

— Voici la route ! s'écrie soudain François, apercevant la chaussée qui s'élève derrière les marécages vers le sommet de la colline.

Le groupe change de direction pour la rejoindre. Chacun avance avec précaution, les pieds englués de boue liquide. Soudain, Dago prend son élan et, d'un bond, tente de franchir la courte distance qui le sépare encore de la route. Personne n'a le temps de comprendre ce qui se passe : Dagobert manque de quelques millimètres la bordure de pierre qui délimite la chaussée. Ses pattes glissent et il tombe dans la vase. Désespérément, il s'efforce de prendre pied sur un terrain plus solide, sans y parvenir. Il se met alors à pousser de lents gémissements.

Claude pousse un cri perçant.

— Dago ! hurle-t-elle. Oh ! Regardez, il s'enfonce ! N'aie pas peur, Dago, j'arrive !

Elle s'apprête déjà à sauter dans la vase au secours de Dagobert quand son père la retient d'un geste vigoureux.

— Tu es folle ! s'écrie-t-il. Tu veux t'enliser à ton tour ? Calme-toi, Dago se tirera très bien de là tout seul.

Pourtant, le chien a beau se débattre, il s'enfonce à vue d'œil.

— Oh ! Je vous en supplie, faites quelque chose ! clame Claude, s'efforçant d'échapper à son père. Sauvez Dago ! Vite, vite !

chapitre 22

Tout s'explique

Bouleversés et désemparés, les enfants regardent leur ami qui lutte de toutes ses forces pour échapper à la vase.

— Il va s'enliser ! s'écrie Annie, pleurant à chaudes larmes.

Soudain, on entend un bruit de moteur sur la route. C'est un camion chargé de bois et de charbon. Claude les appelle à pleine voix :

— Arrêtez-vous ! Notre chien est tombé dans le marais ! Au secours !

Le véhicule freine aussitôt. D'un coup d'œil, M. Dorsel examine le chargement. Puis il se précipite et, en quelques secondes, aidé de François, il dégage plusieurs planches qu'il court jeter dans la vase. Il saute ensuite de l'une à l'autre et parvient à atteindre le malheureux Dago.

251

Le chauffeur du camion accourt pour aider au sauvetage. Et il lance d'autres planches, à angle droit avec les premières, de manière à former une surface plus grande, et plus résistante à la vase. Puis viennent des bûches, des sacs et des fagots qui, peu à peu, forment une sorte de pont entre le marais et la route.

— Tu vas y arriver, oncle Henri ! s'écrie Annie d'une voix stridente.

Le scientifique a réussi à empoigner Dago et se démène pour l'arracher au marécage.

Claude se laisse tomber au bord de la route ; son visage est pâle comme un linge, et, maintenant que Dago semble sur le point d'être sauvé, elle est envahie par l'émotion.

Il est très difficile de tirer Dagobert de sa dangereuse situation, car la boue qui colle à son corps l'aspire comme des centaines de ventouses. Enfin, le malheureux parvient à se dégager, et il finit par se dresser sur les planches, épuisé, mais s'efforçant de remuer faiblement sa queue tout engluée de vase.

Sans se soucier de l'état repoussant de son chien, Claude court lui jeter les bras autour du cou.

— Oh ! Dago, quelle peur tu nous as faite ! s'écrie-t-elle. J'ai cru que je ne te reverrais plus jamais, mon pauvre Dago !

De son côté, le chauffeur regarde d'un œil mélancolique les planches et le reste de son chargement qui, lentement, s'enfoncent dans le marais. Alors, l'oncle Henri s'avance. Il n'est pas bien élégant, avec son pyjama souillé de boue et sa couverture gondolée sur les épaules ; néanmoins, il prend la parole d'un air très digne, et s'adressant au chauffeur :

— Ne vous inquiétez pas, lui dit-il. Je n'ai pas d'argent sur moi, mais si vous vous présentez au *Pic du Corsaire* un peu plus tard, je vous dédommagerai largement de la perte de vos marchandises, et je vous récompenserai pour votre aide.

— Ça tombe bien ! Je dois justement livrer du charbon chez le voisin de M. Lenoir, dit l'homme, qui observe l'accoutrement de son interlocuteur l'air éberlué. D'ailleurs, si ça peut vous rendre service, je ne demande pas mieux que de vous emmener : ce n'est pas la place qui manque dans le camion maintenant !

Le jour commence à baisser, la brume s'épaissit de plus en plus et tout le monde est fatigué. La proposition est donc acceptée à l'unanimité. Le camion démarre aussitôt et, dans un bruit assourdissant, s'engage sur la rampe qui monte au sommet du Rocher Maudit. Dix minutes plus tard, on s'arrête devant

Le Pic du Corsaire et tout le monde descend, la tête bourdonnante et les membres endoloris.

— Je passerai vous voir demain, déclare le chauffeur. Il est trop tard pour que j'entre maintenant. Bonsoir !

Noiraud appuie sur la sonnette. Renée accourt, mais quand elle ouvre la porte, elle fait un bond en arrière en reconnaissant les arrivants.

— Vous voilà enfin ! s'écrie-t-elle. M. et Mme Lenoir vont être sacrément contents ! La police vous a cherchés partout, chez M. Vadec et même dans les souterrains ! Et puis...

À ce moment, Dago bondit dans l'entrée, couvert de boue, méconnaissable. Renée pousse un cri perçant.

— Qu'est-ce que c'est que ce monstre ? s'exclame-t-elle.

— Ici, Dago ! s'écrie Claude, se rappelant tout à coup que M. Lenoir ne supporte pas les chiens. Renée, est-ce que vous pourriez emmener cette pauvre bête à la cuisine et vous occuper de lui ? Je n'ai pas le cœur à le laisser dehors ; si vous saviez ce qu'il a fait pour nous !

— Allons, ma chérie, dépêche-toi, dit M. Dorsel avec impatience. M. Lenoir tolérera

254

bien la présence de Dagobert pendant quelques minutes !

— Ne vous inquiétez pas, dit Renée. Je vais commencer par lui donner un bon bain : il en a bien besoin !

Puis, se tournant vers M. Dorsel :

— M. et Mme Lenoir sont au salon.

Elle s'arrête net, car elle vient de remarquer l'étrange tenue de M. Dorsel.

Et elle suggère :

— Vous voulez que je coure vous chercher des vêtements ?

Le père de Claude la remercie d'un hochement de tête, puis il se dirige vers le salon, suivi des enfants, tandis que Dago se laisse conduire docilement à la cuisine par Renée. M. Lenoir, qui a entendu le bruit des voix dans l'entrée, ouvre la porte pour savoir ce qui se passe.

À la vue des arrivants, il écarquille les yeux.

Mme Lenoir s'élance en direction de Noiraud et le couvre de baisers, riant et pleurant à la fois, tandis que la petite Mariette sautille autour de lui. M. Lenoir se frotte les mains, rayonnant. Il assène à M. Dorsel de grandes claques amicales sur les épaules, sourit affectueusement aux enfants, puis déclare :

— Eh bien, je suis content de vous voir tous

255

sains et saufs. Mais vous devez avoir des tas de choses à nous raconter !

— C'est une longue histoire, réplique M. Dorsel. Encore plus étrange que ce que vous pouvez imaginer. Mais si ça ne vous dérange pas, il faut d'abord que je m'occupe de mes pieds. J'ai fait des kilomètres dans cette tenue et, maintenant, je commence à en ressentir douloureusement les conséquences...

En un clin d'œil, la maison est sens dessus dessous : on apporte une bassine d'eau chaude pour baigner les pieds de l'oncle Henri, une bonne robe de chambre pour le couvrir, ainsi que des sandwiches et des tartines accompagnés de thé et de café au lait pour tout le monde. L'animation et la joie qui règnent font plaisir à voir, et les enfants, réconfortés, se réjouissent en pensant à ce qu'ils vont raconter.

Là-dessus, la police arrive et le commissaire se met aussitôt à poser une foule de questions. C'est à qui répondra le premier, mais on décide que seuls M. Dorsel, Claude et Noiraud auront la parole car ce sont eux qui ont le plus de choses à dire.

De tous les auditeurs, M. Lenoir est peut-être le plus surpris. Lorsqu'il apprend que M. Vadec a tenté d'acheter les plans d'assèchement du marais et avoué franchement son activité de contrebandier, il se laisse tomber contre le dossier de sa chaise, muet d'étonnement.

— Cet homme est un fou furieux ! s'écrie le commissaire. Nous avons essayé je ne sais pas combien de fois de le prendre la main dans le sac, mais il est trop malin... Quand je pense qu'il a réussi à installer Simon ici pour vous espionner, monsieur Lenoir, et que celui-ci en profitait pour envoyer des signaux du haut de votre maison. Le procédé ne manque pas d'audace ! Et en faisant semblant d'être sourd, Simon pouvait surprendre tout ce qui se passait dans la maison sans attirer les soupçons !

— Au fait, dit soudain François, vous ne pensez pas que nous devrions nous occuper un peu de lui, ainsi que de M. Vadec et de leur complice ? Ils sont sans doute en train d'errer dans les souterrains, dans un triste état, peut-être... Dago en a mordu deux !

— J'ai bien l'impression que cet animal vous a sauvé la vie, observe le commissaire. Vous avez eu de la chance ! Je sais que vous n'aimez pas les chiens, monsieur Lenoir, mais vous admettrez sûrement que, sans celui-ci, les choses auraient pu très mal tourner...

— Oui, c'est certain, reconnaît M. Lenoir. Mais à propos, qu'est-ce que vous avez fait de

257

ce merveilleux Dagobert ? J'aimerais bien le voir, juste un instant !

— Je vais le chercher, s'écrie Claude. Pourvu que Renée ait eu le temps de lui donner un bain. Il était dans un tel état !

Elle revient au bout de quelques minutes avec Dagobert. Mais l'animal n'a plus rien à voir avec la pauvre bête arrachée au marais à grand-peine. Renée l'a baigné, puis séché et frictionné dans des serviettes chaudes. Il sent bon le savon, son poil est redevenu souple et brillant, et il a avalé une bonne soupe. Enchanté, il s'avance en remuant la queue.

— Dago, je te présente un ami, dit Claude d'un ton solennel. Dis-lui bonjour.

Dagobert regarde M. Lenoir de ses grands yeux bruns. Puis il trotte droit vers lui et lui tend sa patte le plus poliment du monde, comme Claude le lui a enseigné.

M. Lenoir est complètement abasourdi, il n'aurait jamais pensé qu'un chien puisse avoir d'aussi bonnes manières. Il saisit de bonne grâce la patte de Dago afin d'échanger, avec lui, une cordiale poignée de... main ! De son côté, Dagobert reste très réservé et ne fait pas la moindre tentative pour sauter sur lui ni lui passer un coup de langue sur la figure. Il retire sa patte dignement, pousse un petit « ouah »

258

comme pour dire : « Enchanté de vous connaître, monsieur. » Puis il revient vers sa maîtresse et se couche sagement à ses pieds.

— Mais il ne ressemble pas du tout aux autres chiens ! s'écrie M. Lenoir, au comble de la surprise.

— Et pourtant, je vous assure que c'en est un vrai, déclare Claude. Mais il est beaucoup plus intelligent que tous les autres ! Dites, monsieur Lenoir, est-ce que je pourrai le garder, en le confiant à un de vos voisins ? Comme ça, il ne vous gênera pas ici, dans la maison.

— Écoute, il a l'air très raisonnable et il s'est comporté tellement brillamment que je t'autorise à l'installer ici, répond M. Lenoir dans un grand effort de générosité. Je ne te demande qu'une seule chose : ne le laisse pas trop s'approcher de moi.

— C'est promis ! s'écrie Claude joyeusement. Vous ne le verrez jamais. Oh ! Merci ! Si vous saviez comme je suis contente !

Le commissaire de police est séduit par Dago, lui aussi. Et, le désignant du menton, il dit à Claude :

— Si un jour, vous voulez vous débarrasser de lui, vendez-le-moi ! Un chien comme lui nous serait très utile dans le service : il aurait vite fait de débusquer les bandits !

Claude ne se donne même pas la peine de répondre. Comment peut-on imaginer qu'elle ait jamais envie de se séparer de Dago ?

Mais les enquêteurs ne tardent pas à recourir à l'aide de Dago. Les recherches entreprises afin de retrouver M. Vadec et ses deux compagnons restent vaines, et, le lendemain matin, le commissaire vient demander à Claude de lancer Dago sur leurs traces. Cela semble en effet le seul moyen de les obliger à sortir du souterrain.

— Ils ont dû se perdre dans ce dédale, dit l'homme, et on ne peut quand même pas les laisser mourir de faim et de soif. Il n'y a que votre chien qui soit capable de les retrouver.

Dagobert retourne donc dans le labyrinthe et se met en chasse de ses ennemis. Il ne tarde pas à les découvrir, errant dans les entrailles du Rocher Maudit, épuisés, au comble de la terreur et du désespoir. Il les ramène comme un troupeau de moutons à l'endroit où sont postés les policiers, qui s'empressent de les embarquer, menottes aux poignets.

— Le commissaire doit être ravi de cette capture, dit M. Lenoir quelques jours plus tard. Toute la police de la région était sur les dents pour essayer de mettre la main sur ces contrebandiers. Quand je pense qu'à un moment, ils se sont même mis à me soupçonner ! À propos, vous savez que la police a découvert le lieu où toute la contrebande était entreposée ?

Maintenant que la passionnante aventure est terminée, elle est devenue le sujet de conversation favori des enfants. Mais ceux-ci regrettent beaucoup d'avoir si mal jugé le père de Noiraud. Bien sûr, M. Lenoir a ses humeurs mais il sait aussi se montrer gai et gentil avec ceux qui l'entourent.

— Vous savez quoi ? On va quitter *Le Pic du Corsaire*, annonce Noiraud un beau matin. Maman a eu tellement peur quand M. Vadec m'a enlevé, que papa lui a promis de mettre la maison en vente et de quitter la région dès que l'on me retrouverait. Maman est aux anges !

— Moi aussi, dit Mariette. J'en avais marre de cette maison, il y a trop de secrets ici.

— Eh bien, tant mieux, si vous êtes contents de la quitter, dit François. Mais moi, j'aime beaucoup *Le Pic du Corsaire* ! Je trouve ce lieu magnifique, perché sur sa colline, au-dessus des brumes qui s'élèvent du marais. Et puis, tous ses souterrains... Si vous partez, je regretterai de ne plus pouvoir venir au Rocher Maudit.

261

— Nous aussi, approuvent Annie, Mick et Claude, en hochant la tête.

— Ici, on respire l'aventure, déclare Claude.

Elle caresse Dago, couché à ses pieds.

— Pas vrai, mon chien ? Qu'est-ce que tu en penses ? Tu t'es bien amusé au *Pic du Corsaire* ?

— Ouah ! fait Dago de sa grosse voix.

Et sa queue se met à battre le sol. Quelle question ! Bien sûr qu'il s'est amusé ! D'ailleurs, il ne s'ennuie jamais nulle part, du moment qu'il est avec Claude.

— Et maintenant, dit Mariette, on va peut-être pouvoir profiter tranquillement du reste de nos vacances. J'en ai assez des aventures !

— Pas nous ! s'écrient les autres en chœur. Et on espère bien en vivre encore de très nombreuses !

**Quel nouveau mystère
le Club des Cinq
devra-t-il résoudre ?**

**Pour le savoir,
regarde vite la page suivante !**

*C*laude, Dagobert
et les autres sont prêts
à mener l'enquête

*D*ans le 5ᵉ tome de la série
le Club des Cinq,
Le Club des Cinq
en péril

Pendant les vacances de printemps, François, Claude, Mick et Annie, accompagnés du fidèle chien Dagobert, décident de faire une grande randonnée à vélo. Sur le chemin, ils rencontrent Richard, un jeune garçon qui dit être recherché par de dangereux bandits. Les quatre enfants pensent que leur nouveau compagnon raconte des histoires... jusqu'au soir où Mick se fait enlever à sa place, et enfermer dans une auberge isolée ! Ses camarades du Club des Cinq parviendront-ils à le libérer ? C'est à leurs risques et périls !

Découvre tout de suite
un extrait !

chapitre 1

Projets de vacances

— Vraiment, Henri, je ne te comprends pas !
dit tante Cécile à son mari.

Les quatre enfants assis autour de la table du
petit déjeuner échangent des regards pleins de
curiosité. Qu'a bien pu faire l'oncle Henri ?
François adresse un clin d'œil à Mick, et Annie
donne à Claude un léger coup de pied sous la
table. L'oncle Henri va-t-il se mettre en colère
comme cela lui arrive parfois ? Henri Dorsel est
le père de Claude et l'oncle de François, Mick
et Annie. Il tient dans la main une lettre que
sa femme lui a rendue après l'avoir lue. Il
fronce les sourcils... mais décide de garder son
calme. Il répond d'une voix résignée :

— Voyons, Cécile, comment veux-tu que je
me rappelle exactement quand commencent les

vacances de Pâques des enfants, et où ils vont les passer ? Tu sais bien que je suis plongé dans mes recherches scientifiques en ce moment. Je ne peux tout de même pas me souvenir des détails du calendrier scolaire !

— Tu peux au moins te renseigner auprès de moi, réplique tante Cécile, d'un ton agacé. Tu m'avais dit que tu t'arrangerais pour aller faire tes conférences *après* la rentrée !

— Mais je ne pouvais pas deviner que les vacances de Pâques commenceraient si tard ! se défend l'oncle Henri.

— Qu'est-ce qu'il y a, maman ? demande Claude.

— Ton père vient de m'annoncer qu'il doit partir dans deux jours pour donner une série de conférences, répond tante Cécile. Et je suis cen-sée l'accompagner. Je ne peux pas vous laisser seuls dans cette maison vide... Si Maria n'était pas malade, tout irait bien, mais elle ne revien-dra que dans une ou deux semaines.

Maria est la gouvernante. Les enfants l'aiment beaucoup...

— On est capables de se débrouiller tout seuls ! affirme Mick. Chacun de nous cuisine très bien.

— Même moi, maman, je pourrais m'y mettre, ajoute Claude.

En fait, elle s'appelle Claudine, c'est un vrai garçon manqué et elle exige qu'on l'appelle Claude... sinon, elle ne répond pas ! Mme Dorsel sourit.

— Ma chérie, la dernière fois que tu as fait un œuf au plat, il était presque calciné ! Je ne suis pas vraiment sûre que tes talents de cuisinière emballeront tes cousins...

— J'avais simplement oublié que l'œuf était en train de cuire, proteste Claude. J'étais allée chercher le sablier et puis, en chemin, je me suis souvenu que Dago n'avait pas eu sa soupe et après...

— Oui, oui, on connaît la suite, l'interrompt sa mère en riant. Dago a eu sa soupe, mais ton père, lui, s'est passé de son œuf !

— Ouah ! fait le chien en entendant son nom.

Il lèche le pied de Claude pour lui rappeler sa présence. Son vrai nom est Dagobert, mais les enfants préfèrent l'appeler Dago.

— Revenons à nos moutons, intervient l'oncle Henri d'un air impatient. Il faut absolument que je participe à ces conférences. Tu n'as pas besoin de m'accompagner, Cécile, si tu préfères rester ici, à t'occuper des enfants.

— Ce n'est pas la peine, reprend Claude. On va en profiter pour réaliser quelque chose qu'on a prévu depuis longtemps, mais qu'on pensait remettre aux vacances d'été.

— Oh, oui ! s'écrie Annie. Il faut en profiter !

— Moi aussi, ça me plairait bien, dit Mick.

— Mais de quoi parlez-vous ? demande tante Cécile, interloquée.

— Eh bien voilà, commence François. Ça fait un bout de temps qu'on aimerait faire une randonnée à vélo et camper dans la région. Ça nous donnerait l'occasion d'utiliser les deux petites tentes que tu nous as données à Noël...

— Mais je vous les ai offertes pour vous en servir dans le jardin ou sur la plage, répond Mme Dorsel. La dernière fois que vous êtes allés camper, il y avait un adulte avec vous. L'idée de vous voir partir tout seuls à l'aventure ne me plaît pas beaucoup.

— Cécile, je pense que François est assez grand pour s'occuper des autres, intervient l'oncle Henri, d'un ton exaspéré. Laisse-les partir ! Ce sera une bonne expérience pour eux.

— Merci, oncle Henri ! s'écrie François qui n'est pas habitué à recevoir des compliments de M. Dorsel. Je saurai très bien conduire toute cette troupe... sauf Annie qui fait parfois la mauvaise tête !

La fillette ouvre la bouche pour protester,

mais en apercevant le regard taquin de son frère, elle comprend qu'il plaisante. Elle sourit à son tour.

— Je promets d'être très obéissante, dit-elle d'un ton innocent à son oncle.

M. Dorsel paraît surpris.

— Tiens, j'aurais plutôt cru que c'était Claude la moins disciplinée..., commence-t-il.

Mais il se tait en voyant sa femme froncer les sourcils en signe d'avertissement : c'est vrai que Claude a parfois mauvais caractère, mais quand on le lui dit, elle s'énerve encore plus facilement !

— Henri, tu ne vois pas que François te fait marcher ? Enfin, si tu crois vraiment que nous pouvons lui faire confiance pour surveiller les autres...

— Super ! C'est décidé, alors ! s'écrie Claude.

Elle se met à danser autour de la table.

— On part demain ! On...

— Claude ! Inutile de t'exciter comme ça, reprend Mme Dorsel. Tu sais bien que ton père ne supporte pas l'agitation...

Justement, l'oncle Henri se lève pour sortir. Il a horreur que les repas tournent au chahut...

— Tante Cécile, on peut vraiment partir demain ? demande Annie, les yeux brillants. Il fait tellement beau qu'on n'aura même pas besoin de prendre des vêtements chauds !

— Au contraire : vous ne partirez *que* si vous en prenez, répond fermement Mme Dorsel. Vous connaissez le dicton : « En avril ne te découvre pas d'un fil ! »

— Oh ! Ça va être génial ! s'écrie Mick. On pourra manger ce qu'on voudra, à l'heure qu'on voudra ! Et on choisira tous les soirs un endroit différent pour dresser les tentes ! On pourra même se balader en pleine nuit, si ça nous chante !

Les enfants sont très occupés ce jour-là. Il faut empaqueter les affaires dans les sacs à dos, plier les tentes et les attacher sur le porte-bagages des bicyclettes, chercher dans le réfrigérateur de la maison des provisions pour les premiers jours, emprunter à M. Dorsel une carte de la région... Dago sait bien qu'une randonnée est en vue et il comprend aussi qu'il y participera. Il est aussi excité que François, Claude, Mick et Annie : il aboie, remue la queue, et n'arrête pas de zigzaguer entre leurs jambes. Mais personne ne lui en veut : après tout, il fait lui aussi partie du « Club des Cinq » ! Ce chien sait à peu près tout faire sauf parler, et il est inenvisageable de partir à l'aventure sans lui !

— Tu es sûr que Dago pourra vous suivre quand vous roulerez à vélo ? demande tante Cécile à François.

— Bien sûr, répond le jeune garçon. Il est infatigable, et en plus, c'est un bon chien de garde.

— Oui, je sais. Si je vous laisse partir à peu près rassurée, c'est justement parce que Dago vous accompagne. Pour ce qui est de veiller sur vous, il vaut presque une grande personne.

— Ouah ! Ouah ! approuve le chien.

Claude se met à rire.

— Il vaut *deux* grandes personnes, maman, dit-elle, et Dago bat vigoureusement le plancher de sa queue.

— Ouah ! Ouah ! *Ouah !* renchérit-il, comme pour dire : « Pas deux... mais *trois !* »

Retrouve toutes les aventures du Club des Cinq en Bibliothèque Rose !

1. Le Club des Cinq et le trésor de l'île

2. Le Club des Cinq et le passage secret

3. Le Club des Cinq contre-attaque

4. Le Club des Cinq en vacances

5. Le Club des Cinq en péril

6. Le Club des Cinq et le cirque de l'Étoile

7. Le Club des Cinq en randonnée

8. Le Club des Cinq pris au piège

9. Le Club des Cinq aux sports d'hiver

10. Le Club des Cinq va camper

11. Le Club des Cinq au bord de la mer

12. Le Club des Cinq et le château de Mauclerc

13. Le Club des Cinq joue et gagne

14. La locomotive du Club des Cinq

15. Enlèvement au Club des Cinq

16. Le Club des Cinq et la maison hantée

17. Le Club des Cinq et les papillons

18. Le Club des Cinq et le coffre aux merveilles

19. La boussole du Club des Cinq

20. Le Club des Cinq et le secret du vieux puits

21. Le Club des Cinq en embuscade

22. Les Cinq sont les plus forts

23. Les Cinq au cap des Tempêtes

24. Les Cinq mènent l'enquête

25. Les Cinq à la télévision

26. Les Cinq et les pirates du ciel

27. Les Cinq contre le Masque Noir

28. Les Cinq et le Galion d'or

29. Les Cinq et la statue inca

30. Les Cinq se mettent en quatre

31. Les Cinq et la fortune des Saint-Maur

32. Les Cinq et le rayon Z

Le Clan des Sept

Le Clan des Sept va au cirque

Le Clan des Sept à la Grange-aux-Loups

Le Clan des Sept et les bonshommes de neige

Le Clan des Sept et le mystère de la caverne

Le Clan des Sept à la rescousse

L'Étalon Noir

1. L'Étalon Noir

2. Le retour de l'Étalon Noir

3. Le ranch
de l'Étalon Noir

4. Le fils de
l'Étalon Noir

5. L'empreinte
de l'Étalon Noir

6. La révolte
de l'Étalon Noir

7. Sur les traces
de l'Étalon Noir

8. Le prestige de
l'Étalon Noir

9. Le secret
de l'Étalon Noir

10. Flamme,
cheval sauvage

Table